小学館文庫

感　染

仙川 環

小学館文庫

目次

感染

1

手術室を出ると、仲沢啓介は大きく息を吐き出した。肩をぐるりと二度ばかりまわしてみる。首の後ろが熱を帯びていて熱い。難しい手術の後、決まってそこが熱くなる。

患者を乗せたストレッチャーを押した看護師が、廊下の端にあるエレベーターに乗り込むところだった。

水色のキャップを脱ぐと丸めてポケットに押し込んだ。廊下を照らす蛍光灯がまぶしくて、啓介は目を細めた。

「先生！」

背後から声をかけられた。スーツ姿の小柄な男が深々と頭を下げている。

「ありがとうございます。なんとお礼を申し上げればいいのか。社長にもしものことがあったら我が社は……」

男は顔をあげると、目元をひくひくとふるわせた。

さっき心臓のバイパス手術をした患者は社員五十人ほどの精密部品メーカーの創業

者だった。目の前にいる男は、番頭役の専務あたりだろうと見当をつける。

「あの、これほんのわずかですが」

男が上着の内ポケットから白い封筒を取り出した。厚みを目で確認する。

「気を遣っていただかなくても結構です」

啓介が言うと、男は首を左右に振り、啓介の手に封筒を押し付けた。予想したとおりの行動だった。

「そうおっしゃらずに」

啓介はうなずいた。

「それでは遠慮なく」

男は安堵《あんど》したように何度も頭を下げた。啓介は封筒をズボンのポケットに入れた。

「仲沢先生！」

シャワー室の手前で看護師に呼び止められて、啓介は足を止めた。

「謝礼を受け取るのは禁止されているじゃありませんか」

看護師はカルテを胸に抱えたまま、よく光る目で啓介を見上げた。

「どうしちゃったんですか？　昔は先生、そんな人じゃなかったのに」

啓介は苦笑いを浮かべた。そういえばそんな頃《ころ》もあった。が、今は奇麗《きれい》ごとを言っていられる場合ではない。金はあればあるほどありがたい。啓介は看護師から目を逸《そら》らして言った。

「学部長の岸川先生に言いつけてみたらどうだ？　どうせ無駄だと思うがね。ほかのドクターだって同じようなことをしているんだから」

看護師の頰《ほほ》がさっと紅潮した。猫のような目で啓介をにらみつけてくる。啓介は首の後ろを手で揉《も》むと、シャワー室の扉を押した。

2

洗面台の鏡に映った自分と目を合わせる。何かに怯《おび》えたような目。不安げな表情が自分でも嫌になる。平凡な顔立ちだということは、自覚している。それでも昔は、表情から意志の強さを読み取ることができた。今、鏡の中を探してもそんな自分はどこにもいない。

仲沢葉月はため息をつくと、化粧水の瓶を手に取り、とろりとした液体をコットンにしみこませた。

丁寧に頬をぬぐう。目元にも化粧水を叩《たた》き込む。リズミカルに手を動かしているうちに、涙がにじんできた。

啓介は何故、自分と結婚したのだろう。今さらながらそう思う。結婚を自分から口にしたことはない。そんなことができるはずもなかった。啓介には妻と三歳の子供がいた。

リビングルームのソファに坐《すわ》ると葉月は煙草《たばこ》に火をつけた。啓介と結婚する前のことを思い返す。仲沢啓介という外科医の名は、東都大学に来る前から知っていた。アメリカで臓器移植を手がけていたこともある高名な医師の名は、医学雑誌だけでなく新聞にも取り上げられていた。その彼がウイルス研究を専門としている葉月に教えを請いに来たときには驚いたが、話を聞いて納得した。移植後の患者は免疫抑制剤を服用するから、さまざまな感染症の危険にさらされる。最新の知識を得たいといって、週に一度ほど夜の比較的暇な時間、啓介は葉月のところに話をしにくるようになった。

長身でどちらかと言うとごつい体つきの啓介が、白衣の背中を丸めて葉月が指し示す論文のデータに見入る姿は好ましかった。固そうな髪をかきあげながら、真剣な表情で質問をしてくる彼からは、第一線の外科医としての強烈な自負が窺《うかが》えた。これまで葉月の身近にこれほど真摯《しんし》な態度で、仕事に取り組んでいる男はいなかった。憧《あこが》れが恋愛感情へと変わるのに時間はかからなかった。が、はなから諦《あきら》めていた。女としての自分の価値は、自分が一番よく知っている。知的だと言われることはあっても、決して美人とは言われない顔立ち。痩《や》せすぎで丸みのない身体。可愛げがないと陰口を叩かれ続けてきた自分が、啓介の心を捉《とら》えられるはずなどないと思った。

「青山さんは優秀だし、すごく強い人だね」

啓介にそう言われたとき、やっぱり、と思った。一人の人間として、研究者として彼は自分を高く評価してくれている。それは恋愛感情とはかけ離れたものだった。そんな啓介に対し、自分が憧れを抱いていることすら知られたくない。そう思った。

葉月は火を点《つ》けたばかりの煙草を灰皿に押し付けると、ソファの上で膝《ひざ》を抱えた。それなのに、ある夜、ひどく酔って研究室に現れた啓介は、学生が仮眠を取るソファで強引に葉月を抱いた。何が彼をそうさせたのかは分からなかったし、それで何かが変わるとも思えなかった。自分は臆病《おくびょう》だったのかもしれない。勝てる見込みがない勝負に出る気はなかった。そんな葉月の気持ちを見透かしたように、啓介が研究室を訪れることはなくなった。そんなものだと思ったから、恨む気にはなれなかった。キャンパスで偶然、啓介の姿を見かけるたびに胸が痛んだけれど、自分から彼に声をかける気はなかった。拒絶されるのが怖かったのだと思う。

啓介が再び葉月の前に現れたのはそれから一ヶ月ほど経《た》ってからだった。

——公子と離婚したから結婚しよう。

啓介はそう言って、婚姻届を差し出した。

戸惑いながらも、葉月は結局、啓介の申し出を受け入れた。自分の気持ちをごまかすことは、もはやできなかった。好きなものは好きなのだ。啓介はきっと外見や表面的な優しさで女を判断するような人間ではないから、自分を選んでくれたのだと自分に言い聞かせた。拒否する理由も見当たらなかった。そうして葉月は啓介と暮らし始めた。少し悩んだけれど、旧姓の青山、という名を捨て、仲沢葉月となった。

結婚してから半年ほどはただ楽しかった。独りでないということが、幸せだということを初めて知った。互いに仕事が忙しかったから連れ立って遊びに出るようなことはなかったけれど、日曜の夜、アルコールを手に一週間の出来事を報告し合うとき、実験が長引いた冬の夜、啓介の体温で温まったベッドにもぐりこむとき、言いようのない幸せを感じた。彼が頻繁に息子に会いに行っていることは知っていたけれど、息子の身体が丈夫ではないことも、大学内の噂《うわさ》で漏れ聞いていたからたいして気にはならなかった。大切なのは啓介が自分のものだということだけだった。

それなのに今はどうだ。

葉月は新しい煙草のパッケージの封を切った。

いつからだろう。啓介は笑顔を見せなくなった。昔のように帰宅後、感染症の最新の話を聞きたがることもなくなった。病院での人間関係について相談を持ちかけてくることもなくなった。帰宅すると放心したように一人で考え込み、葉月を寄せ付けようとしない。もともと口数が多いほうではなかったけれど、さらに無口になった。そして葉月と目を合わせようとしなくなった。

啓介の態度が変わった原因について、心当たりはなかった。心当たりを見つけられない自分が情けなかった。二人で穏やかに暮らしてきたつもりだった。言い争いをしたことすらない。それとも気付かぬうちに啓介を怒らせるようなことを自分はしていたのだろうか。ほんの些細《ささい》な不満。それが積み重なり、いつしか深く暗い溝となったのだろうか。

後悔しているのかもしれない。

苦い思いが込み上げる。

幼い息子と妻を捨てたことを啓介が悔いていることが態度の変わった原因だとしたら、自分は途方もなく惨《みじ》めだ。それとも、誰か別に好きな人ができたのだろうか。考えるほど気分が重くなってくる。

葉月はこめかみを指で揉《も》むと、目を閉じ、ソファの背もたれに身体を預けた。

玄関の鍵《かぎ》が回る音がした。かすかに軋《きし》みながらドアが開く。小さな咳払《せきばら》いに続き、足音が聞えてきた。足音は寝室の前を通りすぎ、リビングルームへと向かっていく。

葉月は寝返りをうつと、耳をすませた。浴室の扉を開ける気配がしたかと思うと、勢いのいい水音が響いた。水滴が浴室のタイルを激しく叩く音だ。

水音がやむと、戸棚を探る音がした。足音が廊下からキッチンへと向かう。背中を少し丸め気味にした啓介の後ろ姿が目に浮かぶ。

冷蔵庫の扉を閉める音がした。

プシュッという音は缶ビールのプルタブを引っ張る音だ。続いてテレビの音が低く流れてきた。最近、よく耳にする発泡酒のコマーシャルソングだった。

葉月は身じろぎもせずに天井を見つめ続けた。

啓介はなにを考えながらソファに坐っているのだろうか。テレビに見入っているとは思えない。機械的に缶ビールを口に運び、喉《のど》を潤しているだけのように思えてならなかった。きっと啓介はうつろな目をしている。やや細く黒目がちな目は、映るものを見ていない。見ようとしない。

彼の頭の中にあるのは、仕事のことだろうか。別れた前妻と息子のことだろうか。いずれにしても自分のことは啓介の頭のなかからすっぽりと抜け落ちてしまった。たとえ今、ベッドから抜け出して啓介の隣に坐っても言葉一つかけてはこないだろう。

ふいにテレビの音が消え、ゆっくりとした足音が寝室に向かって近づいてきた。葉月は寝返りをうつと、部屋の入り口に背を向けた。

電気もつけずに部屋に入ってきた啓介は、薄い夏蒲団《ぶとん》をめくると葉月の隣に体を横たえた。ベッドのスプリングがかすかな音をたてる。

葉月は暗い壁をじっと見た。闇に慣れた眼は普段は気付いたこともない細かな傷を見て取ることができる。

隣からは啓介の息遣いが聞えてくる。それと同調するようにクーラーのファンが低いうなり声をあげている。マンションの前の通りを車が走りぬける音がした。

葉月は覚悟を決めて、啓介の体に腕を伸ばした。

「ねえ」

かすれた声には、哀願するような響きが混ざっていた。

啓介の首筋に唇を寄せる。少し汗ばんだ肌は、雨上がりの庭土の匂《にお》いがした。慣れ親しんでいたはずの匂い。ずいぶん久しぶりに嗅《か》いだ気がする。

「まだ起きていたのか」

低い声で啓介は言うと、葉月の手首をつかんだ。ゆっくりと、しかし確実に葉月の手を引き剝《は》がしていく。その動きに逆らうようにさらに身体を寄せたが、啓介は身体をよじって葉月に背を向けた。

「明日、早いんだよ。お前もそろそろ秋の学会に向けて忙しくなる時期だろう」

「だけど……」

喉元まで出掛かった言葉を、葉月は飲み下した。

啓介が声を荒らげてくれれば、言い返すこともできる。しかし、啓介はまるで薬を飲みたがらない患者を諭すように冷静で、取り付く島もない。

救急車のサイレンの音がかすかに聞えてくる。

顎《あご》まで引き上げた夏蒲団の端を嚙《か》んだ。嗚咽《おえつ》がもれないように歯を食いしばる。それでもまぶたの奥から滲《にじ》み出す涙まで止めることはできなかった。

啓介は自分の体にしっかりと蒲団を巻きつけると「おやすみ」とつぶやいた。

返事をする気になれず、カーテンの影が天井に描き出す幾何学模様を眺めた。隣からは規則正しい啓介の息遣いが聞えてくる。息遣いは次第にゆっくりとしたものになり、寝息に変わった。明日の朝、啓介はきっと何事もなかったように「おはよう」と言うのだろう。いつものように感情のこもらない声で。あきらめに似た思いが広がっていく。

その時、ふいに電話が鳴り始めた。

意識が現実に引き戻される。

啓介は素早く上体を起こすとサイドテーブルの電気スタンドをつけ、コードレスホンを取り上げた。

急患だろうか。

白熱灯の眩《まぶ》しさに顔をしかめながら、葉月は思った。啓介は仕事がら、深夜に病院から呼び出されることも多い。

「仲沢です」

低い声で啓介は言った。

葉月は、枕もとのリモコンを手にとった。クーラーの温度設定を一度だけあげると、受話器から漏れ聞えてくる声に神経を集中した。相手の言葉を聞き取ることはできないが、緊迫した話し方であることは分かる。しかも、女の声のようだ。

葉月は上体を起こすと、掛け布団を顎のあたりまで引き上げ、啓介の背中を見つめた。

啓介の医局に女性の医者がいると聞いたことはない。看護婦かもしれないと思い直すが、啓介の受け答えには、どこか不自然さがあった。相槌《あいづち》をうつばかりで自分からしゃべろうとはしない。背後で息を潜めている葉月を意識してのことだろう。その証拠に受話器を手で覆い隠している。

「すぐそっちに行く」

啓介は乱暴なしぐさで受話器を元に戻し、ベッドから滑り降りた。

「急患なの？」

「出かけてくる」

啓介はクローゼットからモスグリーンのポロシャツとキャメルグレーのチノパンを引っ張り出して着替え始めた。

枕元の目覚し時計を横目でみると、もう午前三時を過ぎていた。重症の患者を複数抱えている啓介でも、こんな時間に出かけることは、滅多になかった。

啓介はベルトを締めると電気スタンドのスイッチを消した。

「起こして悪かったな」

黒い影が言う。

「ねえ、ちょっと！」

啓介は無言のまま、寝室を出て行った。玄関の扉が開く音が聞えた。

葉月は深いため息をつくと、再び蒲団に潜り込んだ。

こんな時間に女から電話がかかってくる理由、啓介が出かける理由について深く考えたくはない。考えれば、惨めになるだけだ。

ふいに、父の顔が脳裏に浮かんだ。

啓介との結婚を報告するために岩手県の実家に帰ったとき、悲しいほどやせてしまった父は、葉月と決して目を合わそうとしなかった。母が死んで以来、たった一人で切り盛りしている診療所の診察室から出ようともせずに、「薄汚いまねをしやがって」と吐き捨てるように言った。父は葉月が啓介を妻と子供から奪ったと思っていた。そして、そんな娘を許すことができなかったのだ。あれ以来、父には一度も会っていない。明日、電話をかけてみようか。一瞬、そう思ったが、葉月は首を振って父の姿を脳裏から追い払った。指で心臓をひねり上げられているような嫌な痛みは、誰に訴えても和《やわ》らぐことなどない。

天井を眺めてどれだけの時間を過ごしただろう。いつの間にか窓の外は明るみ、気の早い雀《すずめ》がさえずりはじめている。

葉月はベッドの上で腹ばいになり、頬杖《ほおづえ》をついた。ベッドサイドのコードレスホンを引き寄せ、もう一度、リダイヤルボタンを押してみる。同じ動作をすでに十四回も繰り返しているのに、啓介は出てくれない。また同じことだと思っても、ボタンを押さずにはいられない。結果は予想通りだった。呼び出し音が一度鳴っただけで、留守番電話の応答メッセージが流れ出した。

電話をベッドの上に投げ出すと、葉月はリモコンでテレビのスイッチを入れた。クーラーを切ると、窓を全開にする。

少し離れたバス通りを行き交う車の音が聞える。ほのかに冷気が残る空気を胸一杯に吸い込むと、胸の中に広がるもやもやとしたものが一瞬だけ、すっと引いた。

テレビの時報が鳴った。軽快な音楽が流れだし、ニュース番組の始まりを告げる。中東の紛争、政府の経済対策。初老の男性アナウンサーが淡々とニュースを読み上げていく。

千葉県で先週、起きた幼児誘拐事件についての続報もあった。この事件については、ニュースで繰り返し放送されている。新聞も連日、捜査の進捗《しんちょく》状況だけでなく、被害者の葬式の様子までも書き立てていた。残虐な犯罪はいまどき珍しくはないが、その中でも千葉の事件の異常性は際立っていた。犯人は身代金の受け渡しのために指定した場所に幼児の焼死体を放置した。

「犯人逮捕に全力をあげてもらいたいですね」

アナウンサーは長く伸びた眉《まゆ》をひそめ、憤慨したように言った。

五つ目のニュースに差し掛かったとき、アナウンサーは再び眉間《みけん》に皺《しわ》を寄せた。

「昨夜、三鷹《みたか》市で火事があり、親子三人が死亡しました」

葉月はテレビのボリュームをあげた。

昨夜のサイレンの音。あれは消火作業に向かう消防車のものだったのではないだろうか。

アナウンサーは続けた。

「火事があったのは三鷹市本町の川久保雄治さんの自宅で、木造住宅一棟が全焼。一階に寝ていた雄治さんと妻の一恵さん、そして五歳になる長女のしおんちゃんが焼死体で発見されました。警察では放火の疑いもあるとみて、調べを進めています」

嫌な事件だ。放火の犯人は何度も犯行を繰り返すと聞いたことがある。このマンションから本町までは、バスで十分ほどの距離がある。近いとは言えないが遠くもない。気味が悪い話だった。

いつの間にか、自分も眉間に深い皺を寄せていることに気付く。葉月は大きく伸びをすると、パジャマ代わりのティーシャツを脱ぎ捨ててバスルームへ向かった。

家を出たのは、九時半を少し回ってからだった。三日前からためてしまった洗濯物を片付けているうちに、普段の日よりも出発が遅れてしまった。体を動かせば余計なことを考えずにすむ。そう思って、いつもより丁寧に洗濯物を干したりしたから、時間の感覚がおかしくなってしまったのかもしれない。

三鷹駅でバスを乗り継ぎ、東都大学のキャンパスへと向かう。住宅街を抜け、キャンパスに向かって歩き始めると、すぐに全身から汗がにじみ出した。霜降りグレーのティーシャツは胸元に濃い色の染みができ、鼻先から汗がしたたりそうになる。ジーンズの尻《しり》ポケットからタオル地のハンカチを取り出すと、顔をざっとぬぐった。

石造りの門柱を抜けると草の匂いが強くした。青臭く生命力に満ちた匂いは、夏そのものというかんじがする。嫌な匂いだとは思わなかった。高校を卒業するまでの十八年間を過ごした岩手の山間の小さな町を思い出すからかもしれない。

頭上では銀杏《いちょう》の葉が風を受けてざわざわと揺れていた。この一週間ばかりで扇形の葉は濃い緑から柔らかな緑へとわずかに色を変えた。八月も半ばに差し掛かっている。その梢《こずえ》は次第に黄色味を増し、やがて鮮やかな黄金色の絨毯《じゅうたん》が歩道に広がるだろう。

ころには啓介は笑ってくれるようになるのだろうか。

中途半端な時間のせいかキャンパスの中心部へと向かうまっすぐな長い道を歩いているのは、葉月ひとりだった。門から感染症研究所までは、歩けばたっぷり十五分はかかる。

ふいに背後でクラクションが鳴った。振り返ると、見慣れた濃紺のマークⅡが停まっていた。運転席には啓介の姿がある。葉月はゆっくりと車に歩み寄った。

啓介は窓を開け、身体を乗り出した。眩しいのか、目を細めている。目の下には黒々とした隈《くま》があった。

「乗ってくか?」

うなずくと、啓介は腕を伸ばし助手席のドアを開けた。葉月は助手席に体を滑り込ませた。

少し埃《ほこり》くさいエアコンの風が頬を撫《な》で、汗が瞬く間に引いていく。肌の表面に塩の結晶ができるのではないかと葉月は思った。

啓介がゆっくりとアクセルを踏み込む。

その横顔を横目でうかがいながら、葉月は尋ねた。

「患者さん、どうだったの?」

「なんとか持ち直したよ。でも、結局、徹夜になってしまってね。今、ファミリーレストランで朝飯を食ってきた」

「そう……」

葉月はハンドルを握る啓介の指を見つめた。メスを握り、患者の体を切り開くとき、機械よりも精緻《せいち》に動くと言われているすんなりとした指。啓介の体の中で一番好きな部分だが、この指がついさっき、誰かほかの女の髪を撫でたかもしれない。

昨夜は、仕事ではなかったんでしょう。

喉元まで出掛かった言葉を飲み込み、葉月はハンドルから目を逸らした。

車はキャンパスの一番奥にある医学部の入り口に静かに滑り込んだ。葉月の顔なじみの女性事務員が玄関のガラス戸を押している。明るい茶色に染めた髪が陽射しを浴びて金色に輝いている。

「俺は病院のほうに直接、行くから」

「うん。ありがとう。助かったわ」

葉月はドアを閉める前に、啓介に声をかけた。

「あなた今晩は?」

「多分、遅いな」

「話、あるのよ。早く帰れない？」

啓介は何か言いたそうに唇を開いたが、小さくうなずいた。

「できるだけ努力してみるよ」

無理、ということだ。葉月は小さくため息をつくと、ドアを閉めた。すぐに濃紺の車体が動き出す。遠ざかっていく車を見ていると、次第に自分の表情が険しくなっていくのが分かった。

感染症研究所は医学部の建物のなかで、最も奥まった一画にある。長い廊下を通り抜けて研究所の扉を押すと、葉月はウイルス研究部門がある三階へ向かった。国立大学の臨床医からこの大学の助手に転じて以来、六年間、通い続けている職場だった。

六年前と比べて環境は大きく変わった。研究部門のトップである教授は、二年前に脳梗塞《こうそく》で倒れて以来、研究所に顔を見せるのは週に一度程度にすぎない。助教授だった男は今年の春、ドイツの大学に客員教授として招かれ、研究所を去った。葉月は現在、二人の助手のうち、若手のほうで、研究室にとって体《てい》のいい便利屋でもある。自分の仕事の合間を縫って学生の指導をしたり、実験用の試薬を補充する。機械が壊れたと学生が騒げば修理を試み、手に余れば業者に連絡をつけて来てもらう。雑用はあきれるほど多かった。そのせいで最近は大がかりな実験に手をつけることができずにいる。目の前にある仕事を一つ一つ片付けていくしかなかった。

新しい助教授が来れば、少しは負担が減ると思う一方で、自分に昇進の声がかかるのではないかという淡い期待も持っている。今年で三十五歳。助教授になっても不自然ではない年齢にいつしか差し掛かっている。ポストを手にするためには、今が正念場だ。研究所にいる間は啓介のことを心の隅へと追いやり、仕事に集中しなければならないと自分に言い聞かせる。

ウイルス研究部門の職員や学生が共同で使っている控え室の扉を開けると、葉月は首をひねった。入り口に近い場所にある古びたソファに初めて見る若い女が坐っていたのだ。

「あの……」

声をかけると女が顔を上げた。大きな二重の目が物怖《ものお》じする様子もなく見返してくる。ゆるくウェーブをかけた栗色の髪を指でさっとかきあげると、女は明るいピンクに染めた唇を開いた。

「私、桜木栄子っていうの。秋からこの研究室で実験をやることになったから。あなた、助手の仲沢先生がどこにいるか知らない？」

そう言えば教授が最近、外科から研究生を受け入れると言っていた。それが彼女のようだった。

葉月は桜木栄子と名乗った女をもう一度、じっくりと観察した。

黄土色のカットソーは生地にたっぷりとラメが入っている。スリットが深く切れ込んだスカートから形のいい脚がすんなりと伸びている。葉月の視線を意識してか、栄子は脚を馴《な》れたしぐさで組み替えた。

「あなた、聞えないの?」

葉月は大きなアーモンド形の目を正面から見た。

「私が仲沢ですけど」

栄子がはっとしたように、口元を押さえた。

「す、すみません。その、ずいぶんお若く見えたものですから」

葉月は近所の量販店で買ったティーシャツの裾《すそ》をなんとなくつまんだ。若く見える、とは便利な言葉だ。

栄子は、はきはきとした口調で、一年間の予定でこの研究室に通うことになったと言った。

「具体的な実験内容は仲沢さんと相談して決めるように教授に言われています。私、ずっと臨床をやっていたので、基礎から教えてもらわないといけないんです」

「そう……」

また一つ、雑用が増えるということだが、断れるはずがなかった。

葉月は部屋の隅にある冷蔵庫から烏龍茶《ウーロン》のペットボトルを取り出し、二つの紙コップに注いだ。一方を栄子に手渡す。

「臨床の人って、論文を何本か書くだけで博士号が取れると思っているみたいだけど、そんなに甘くないと思うよ」

つい、きつい言葉が口をついて出てしまう。すぐに葉月は後悔した。栄子の表情がさっと変わったからだ。目がきゅっと釣りあがっている。

「精神論とか、私、聞く気はありませんから。それより早く実験を始めたいんです。具体的な指示をしてください」

うんざりしながら葉月は首を振った。この手の同性は、もっとも苦手とするタイプだった。理由ははっきりとしている。自分が昔、まさにそういう性格だったから、考えていることがだいたい予想できてしまうのだ。ぎらついた上昇志向を胸の内だけにとどめておくことができず自分が正しいと思えば、ためらうことなく他人を攻撃する。そんな人間と一緒に実験をするのは、気が進まない。

「私のほかにもう一人助手がいるのよね。真鍋さんって言うんだけど。彼に指導してもらったほうがいいかもしれない」

「真鍋さんって？」

部屋の奥で小さな咳払いが聞え、人がもぞもぞと起き上がる気配がした。栄子は戸惑うように視線を動かした。

「よう」

部屋を仕切る衝立《ついた》ての陰から真鍋康之が姿を現した。薬品の染みが点在する白衣を引っかけ、足元は裸足にサンダルを履いている。

栄子の唇が歪《ゆが》む。

「俺の名前が聞えたようだが」

真鍋はシャツの襟元に手を差し入れて肩のあたりを掻《か》くと、顎《あご》がはずれるのではないかと心配になるほど大きなあくびをした。

「この人、桜木栄子さんっていうんです。秋から研究生として、この部屋で実験するんですって。真鍋さんに指導教官をお願いできませんか。私は若林君と早崎君のドクター論文を見ているから、手が回らないわ」

真鍋は脂じみた眼鏡を掛け直し、立ったまま栄子を眺めまわした。青黒く分厚い唇を舌で軽く湿すと太い首をぐるぐると回した。首の筋がコキリと音を立てる。

「俺だって暇じゃない」

「それなら、実験の内容で決めましょうか」

　葉月は、今日の実験スケジュールを思い浮かべながら言った。

「今日の夕方か明日の朝、三人で話し合いましょう。桜木さん、早く実験を始めたいそうだから」

　お願いします、というように栄子は頭を下げたが、真鍋は舌を鳴らして首を振った。

「やらないって言ってるんだよ、俺は」

　この際、一度はっきりと言っておいたほうがいい。葉月は真鍋をにらみすえた。

「そういう言い方、ないでしょう。この研究室の筆頭助手は真鍋さんなんだから、教授がいないときは真鍋さんが責任を持ってくれないと」

「関係ないね」

　真鍋は薄笑いを浮かべた。

「だいたいあんた、自分が筆頭のつもりでいるんだろ。なにせ優秀なんだから。おまけに旦那は医学部長の直属の部下で、実力ナンバーワンの助教授だ。アメリカ帰りっていう勲章もぶら下げてる。そいつの女房なんだから、学部長だって気を遣わざるを得ないわけだ」

葉月は頬が熱くなるのを感じた。何か言い返さなければならないと思うのに、うまく言葉が出てこない。啓介とのことをそんなふうには言われたくない。しかし、周囲は啓介と自分を切り離して見てくれようとはしない。面と向かってそれを言われたのは初めてだが、冷ややかな視線はいつも感じていた。

肩をゆすって真鍋が笑った。

「どうやら痛いところを突いちまったみたいだな。とにかく俺はお嬢さんに関わっている暇なんてないね」

「真鍋さん！」

栄子が厳しい声で真鍋を制した。

「私、くだらない話に付き合っている時間、ないんです。指導は仲沢さんにお願いするから、もう結構です」

真鍋は呆気《あっけ》にとられたように、口をあけて栄子を見た。しかし、すぐに頬を歪めた。

「えらそうな口を利《き》くのは、仕事ができるようになってからにしな。まあ、あんたみたいなお嬢さん、役にたつとも思えないがね」

真鍋が眼鏡越しに栄子をねめつけた。ぎょろりとした両目が意地悪く光る。栄子も負けてはいなかった。形のいい唇を引き結び、ひるむ様子はない。

先に目をそらしたのは、真鍋のほうだった。栄子が葉月に目配せをしながら、勝ち誇ったような笑いを浮かべた。笑い返す気にはなれなかった。

「俺、実験室に行って来る」

不機嫌な声で真鍋は言うと白衣の前をかき合せ、サンダルを引きずりながら、控え室を出ていった。

「打ち合わせ、明日の朝、九時にお願いします。それでいいですよね」

栄子は椅子《いす》を勢いよく引くと、柔らかそうな革のショルダーバッグをひょいと肩にひっかけ、ハイヒールの音を高く響かせて出て行った。

烏龍茶を飲み干すと、葉月はぐったりとした気分で自分の机に向かった。どうしてこうやっかいなことばかり起こるのだろう。

白衣を羽織ると、気持ちがぐんと引き締まる。とにかく身を入れて仕事をしようと葉月は思った。論文という形で誰の目にも明らかな成果を出せば、啓介のことをとやかく言われることもないし、ポストも自然に転がり込んでくる。ポストはどうしても必要なものだ。真鍋を見ているとそう思う。真鍋は昔、外科教室にいた。畑違いのこの研究室に移ってきたのは、どうせポストをめぐる競争で負けたからだろう。あんなふうにはなりたくなかった。

机の引き出しを開けて実験ノートを取り出すと、葉月はＰ３と呼ばれる実験室に向かった。感染性のあるウイルスなど危険な試料を扱うときに使う部屋で、扉が二重構造になっている。空気圧も外部と比べて低いので、危険なウイルスが外部に漏れ出す危険がない。肝炎ウイルスの実験を葉月は昨日からやっていた。

Ｐ３の前まで来たとき、葉月は首をかしげた。若林という大学院生がドアの前で試験管を手に立っていた。中に入る様子はない。

「どうしたの？」

葉月が声をかけると、若林が振り返った。泣き笑いのような表情を浮かべ、Ｐ３のドアを指差す。

「立ち入り禁止　実験中」

張り紙が出されている。黒々としたマジックペンで書かれた右肩上がりの文字を見て葉月は舌打ちをした。真鍋の筆跡だった。

「ちょっとどいて」

葉月は若林を押しのけるとドアノブに手をかける。案の定、鍵がかかっている。

「どうしましょう」と細い声で若林が言う。「僕、実験の途中で試薬を取りに下の部屋に行ったんです。戻ってきたら張り紙がしてあって……」

葉月はドアを拳《こぶし》で叩いた。

「真鍋さん！」

怒鳴ってみるが、部屋の中から返事はない。

「困ります、こんなことされたら。私たちもこの部屋を使うんです」

内側の扉が開く音がした。真鍋がドアのそばにやってきたようだ。外側の扉の鍵が回る音がする。

真鍋はぬっと顔を出すと、眼鏡の奥からぎょろりとした目で葉月をにらみつけた。

「張り紙、してあるだろう。ここは今、俺が使っているんだよ」

「実験台はいくつもあるじゃないですか」

「ふん、お前らに周りをうろちょろされると気が散るもんでね」

「真鍋さん！」

葉月はドアに手をかけた。しかし、それより早く真鍋がドアを閉める。鍵をかける音がした。

「午後までには終わらせる」

傲然《ごうぜん》とそう言うと、再びスリッパを引きずる音がした。

背後で若林が深いため息をついた。若林は博士課程の三年生に在籍しているから、もう三十に近い年齢だった。

「僕、あきらめます。実験、午後にやり直しますから」

若林は言った。

「今度、教授が来たら注意をしてもらうから」

「仕方ないですよ」と、若林は分別臭くうなずくと、背中を少し丸め気味にして歩き出した。

午前中は細胞の培養液を交換する作業に費やすことにした。作業を終えて控え室に戻ると、もう昼に近かった。デスクの前に坐り、煙草に火をつける。真鍋は相変わらず、P3にこもっているようだった。いったいなにをそんなにしゃかりきになって調べているのか。学会までにはまだ二ヶ月以上も間がある。

そのとき、電話が鳴り始めた。あいにく学生は皆、出払っており、控え室にいるのは葉月だけだった。しかたなく受話器を取り上げる。

「お忙しいところすみません」快活な声で電話の主は言った。「私、毎朝新聞の渡部と申します」

葉月は受話器を握り直した。

「克二？」

「なんだ、お前か。先に言えよ」

渡部克二はそう言うと、よく通る声で笑った。

克二は大学時代の同級生だった。医学部を卒業する間際に退学し、法学部に入り直した後、新聞社に就職した。

「どうしたの？　久しぶりじゃない」

「教えてほしいことがあってさ。今晩、時間を作れないか？」

葉月は電話のコードを指に巻きつけた。

「ずいぶん急だね」

「頼むよ」

断られることなど念頭においていない頼み方だった。渡部克二はいつもそんな話し方をした。それでも級友たちの間で人気があったのは、快活で面倒見がいい性格のためだった。

「都心まで出て行くのは面倒なのよ」

「吉祥寺ならいいだろう」克二は駅ビルの地下にある中華料理店の名を挙げた。「時間は八時でいいな」

念のために克二の携帯電話の番号を控えておこうと思い、葉月は口を開きかけたが、その前に電話は切れた。せっかちな性格は相変わらずだ。葉月は受話器を元に戻しながら苦笑した。

3

吉祥寺に来るのは、久しぶりのことだった。自宅と大学がある三鷹のすぐ隣の駅だが、若者の街という雰囲気になじめず、あまり足を運ぶことはない。

東口の改札口の近くでは、色とりどりの髪をした若者が四、五人の塊を作ってたむろしている。彼らが声高に話す言葉は異国語のように聞えた。彼らの合間を縫うように歩きながら、地下へと降りる階段を探す。

駅ビルの中には昼間の熱気が残っているようで、湿った空気が肌にまとわりついてくる。ティーシャツの裾をつまむと、さりげなく胸元に風を送った。

そのとき人ごみの中に見覚えのある顔を見つけた。

葉月は足を止めた。止めたというより、身体が硬直して動かなくなった。

後ろを歩いていたサラリーマン風の中年男が接触しそうになり、憤りのうなり声をあげたが葉月はその場に立ち尽くし、胸に手を当てた。そうしなければ呼吸が止まりそうな気がした。

それは原島公子だった。啓介の前妻の顔を見間違えるはずはない。公子はかつて葉月が知っていた女とは別人のように見えた。顔立ちが変わったわけではないけれど、表情が別人のように暗い。ぱさつきが目立つ髪の毛は肩のあたりで無造作に束ねられており、口紅もつけていないようだった。

葉月の胸が痛んだ。物理的に痛かった。

葉月が知っていた公子はブランドものの高価な服を身に纏《まと》い、つややかな髪をしていた。まるで裕福な家庭の若い主婦向けの雑誌に出てくるモデルのようだった。あれはいつ頃だっただろう。病院に車で啓介を迎えに来た公子を偶然見かけたことがある。到底かなわない、心からそう思った。

それなのに今、改札口に向かって背中を丸め気味に歩いていく彼女は、全身から疲れをにじませている。まるで、生活が苦しい家庭の主婦のようだった。

葉月は手に持ったバッグを胸に抱いた。

公子は半ばよろめくような足取りで改札口を抜け、ホームへの階段を上り始めた。

細い背中が見えなくなるまで、葉月は公子の後ろ姿を見送った。

自分という人間がこの世に存在しなければ、公子は今も輝くばかりの笑顔を浮かべていられたかもしれない。

——私のせいなのか。

こみ上げてくる苦い思いを葉月は振り払った。そんなことを考えてはいけない。偽善まみれの感傷は醜い。

葉月は勢いをつけて歩き始めた。

駅ビルの地下にある赤い看板が目印のその店に入ると、奥の席にいた克二が立ち上がった。中身が半分ほどに減ったジョッキを片手に持ち、顔をくしゃくしゃにして笑いかけてくる。軽く手を挙げてこたえると、葉月はキャンバス地のバッグを抱え直した。

「毎日暑くて嫌になるな」

よれよれになったおしぼりで顔を拭《ふ》くと、克二はよく響く低音の声でウェイトレスを呼んだ。

「生ビールをもう一杯とシューマイ。牛肉とピーマンの炒《いた》め物、鶏のから揚げ、キュウリとクラゲの前菜もお願いします。この韮餃子《にらギョーザ》っていうのも、もらおうかな」

「そんなに食べられる？」

「大丈夫だよ。あとで五目チャーハンとタン麺も頼むぞ」

　ウェイトレスがあきれたように肩を竦《すく》めたが、克二は気にする様子もなく、メニューを片手で器用に閉じた。

　運ばれてきたジョッキで乾杯をすると、葉月は勢いよくビールを喉に流し込んだ。冷えすぎるほど冷えている。こめかみのあたりが痛くなりそうだった。

「相変わらずだな。結婚して少しは変わったかと思ったけど、安心したよ」

「一口目のビールは息が続く限り飲まないと駄目だって教えてくれたのはあなたじゃない」

「そうだっけ」と克二は鼻の頭をかいた。「それにしても、お前は変わらないなあ。俺なんてすっかり太っちまって」

　克二の顎《あご》や首の周りには学生時代にはなかった肉がたっぷりとついていた。引き締まっていた胸元も厚い脂肪に覆われていることがワイシャツの外からでも分かる。

「まあ、そんなものなんじゃないの」

「ちぇっ、余裕をかましやがって」

　葉月は声をあげて笑った。

　次々と運ばれてきた料理を旺盛《おうせい》な食欲で平らげながら、克二は自分の近況を語った。

社会部で医療分野を担当していると克二は言った。

「学生のときに習ったことなんて、すっかり忘れちまったけど、医学部出身っていう肩書きは結構便利だぜ」

葉月も最近の自分の研究について話した。最新の医学の知識を持っているわけではないのに克二は絶妙のタイミングで的確な質問を挟んでくる。優秀な聞き手を前にしたとき、自分が意外に饒舌《じょうぜつ》になることを葉月は知った。

皿があらかた空になったところで、克二はナプキンで口元を丁寧にぬぐうと両手を膝に置いた。葉月もつられて箸《はし》を置いたが、「食いながら聞いてくれてかまわない」と克二は言った。その表情からは、先ほどまでの笑みは消えていた。

「お前がいる東都大学の病院で海外で臓器移植を受けたいという子供たちの面倒を見ているだろう」

「へえ、そうなの？」

「なんだ、知らないのか」

克二は表情を崩すと、椅子からずり落ちるふりをしてみせた。

「病院がやっていることにあまり関心はないから」

「お前、それって学者馬鹿ってやつじゃないの？」

「病院とはほとんど交流がないんだもの。でも、なんだったらうちの旦那に聞いてみてもいいよ。彼は第一外科の医者だし、アメリカに留学していた頃に移植手術を何例か手がけた経験があるから」

「おっ、そりゃ助かるね」克二はテーブルに身を乗り出し、声を潜めた。「実は医学部長の岸川さんに何度も取材を申し込んでいるのに、アポイントがさっぱり入らない。学部長室にアポなしで押しかけてみたけど、やたらと美人の秘書に押し返されちまった。岸川さんだけじゃなくて、ほかの教授連中の自宅にも夜、行ってみたけれど門前払いを食らわされてばかりだ。箝口令《かんこうれい》でも敷かれてるんじゃないかな」

「ふうん。それで、何を知りたいわけ？」

葉月は空になったジョッキを高く上げてウェイトレスにビールを注文した。

「臓器移植について連載をやるんだけれど、俺は子供の移植についての回を担当する」

「子供の脳死臓器移植を解禁しろっていうキャンペーンでも張るわけ？」

「ま、そんなところだ。日本の子供が海外で移植を受けるケースが増えていて、問題になっているからな。お前の大学がどういうルートで海外での移植先を見つけるのか知りたい。ほかの病院については大体のところは分かったのに、東都大学だけ今ひとつはっきりとしないんだ」

「うちの旦那はマスコミ、あんまり好きじゃないから保証はできないけど」

「とにかく一度、頼んでみてくれよ。もし断られたら、俺が旦那さんに言ってやる。お前が大学を無事、卒業できたのは、俺がノートを見せてやったおかげだってさ」

「何よそれ！　ノートを貸したのは私だってば」

克二はよく響く声で笑うと、手をあげてウェイトレスを呼んだ。


マンションの前でタクシーを降りると、急に酔いが回ってきた。頭を勢いよく振ってみたが、視界が揺れるばかりでまっすぐに立つことさえおぼつかない。道路からマンションのエントランスまでの距離が途方もなく長く感じられる。葉月は一歩、また一歩と、慎重に足を進めた。

エレベーターに乗り込み、ボタンを押した後、腕時計を見た。すでに一時を過ぎている。

中華料理店を出た後、東急デパートの裏にあるバーでウィスキーを飲んだ。何杯飲んだのかはっきりと覚えていないけれど、二、三杯ではない。克二の話術に引き込まれて、ついつい杯を重ねてしまった。最近、仕事で訪れた地方の病院の熱血医師の話、オールナイトで見たフランス映画の内容、同級生達の消息。克二の舌は止まることなく動き続けた。煙草をくゆらせながらそれを聞くのは楽しかった。心から笑ったのはずいぶん久しぶりのような気がして席を立つ気になれなかった。

　思うように動かない指で部屋の鍵をポケットから取り出す。鍵を回す時のかすかな音でほんの少しだけ酔いが覚めた。

　啓介はまだ起きているだろうか。

　音をたてないよう、注意してドアを開けたがそんな気兼ねは無用だった。廊下には白熱灯が灯《とも》っていた。片方の足でもう一方の踵《かかと》を踏みつけてスニーカーを脱ぐと、壁に手をついて体を支えながらリビングルームへと向かう。

　パジャマ姿の啓介はソファに深く腰を下ろし、天井に顔を向けていた。目は閉じられている。寝ているのではないかと思ったが、そうではない。ソファの肘《ひじ》掛《か》けに乗せた人差し指が、苛立《いらだ》たしげなリズムを刻んでいる。

　テーブルには飲みかけのウィスキーのグラスがあった。氷が溶け、グラスの中身が淡い色になっている。

「帰ったわよ」

　うまく回らない舌で言うと、葉月はバッグを床に落した。中で財布の口が開いてしまったのか、小銭が触れ合う音がした。

啓介はゆっくりと目を開けた。

「何よ、文句ある？」

啓介が非難するような目で葉月を見た。

「お前なあ、早く帰れって言ったのはお前だろうが。こっちは仕事を切り上げて帰ってきたのに」

葉月は言葉に詰まった。すっかり忘れていた。それでも素直に謝る気にはなれなかった。できるだけ努力してみる——。そんな言葉は約束でもなんでもない。

テーブルの上のグラスを手に取ると、葉月は残っていたウィスキーを飲み干した。水の味しかしなかった。薄すぎて味がしないのか、味覚が麻痺《まひ》してしまったのか、自分ではよく分からない。唇の水滴を指でぬぐうと、グラスをテーブルに戻した。思いがけず大きな音がしたが、気になどならなかった。

「それに今夜はこっちも話があったんだ」

「話？」

「ああ。異種移植の特集を民放で放送していたんだ。一緒に見てお前の意見を聞きたいと思ったから、早く帰ってきたんだ」

「異種移植って豚とかの臓器を人間に移植するやつでしょう？　あなたの仕事と関係

あるの？」

「そんなに酔ってちゃ話もできない」

啓介は不機嫌そうに言うと、腕を組んだ。

「できるわよ、話ぐらい。私が言いたいことは決まってるんだから」

葉月はもたれかかった。啓介の体が大きく前後に揺れ動いている。壁も床も、カーテンも……。部屋のなかのあらゆるものが、顫動《せんどう》している。

啓介は何か言いたそうに唇を開いたが、すぐにまた元の無表情に戻った。まるで仮面をつけているようだ。どうしてこうも無関心でいられるのだろう。

「無理だ。さっさと寝ろ」

この数日、くすぶりつづけていたものが、一気に噴き上がってきた。

「なによ！　女がいるくせに、偉そうにしないで」

初めて啓介の顔に表情らしきものが浮かんだ。背もたれから体を起こし、葉月をまっすぐに見る。葉月はふらつく身体を壁で支え、目に精一杯の力を込めた。

「昨日、夜遅くに突然、出ていったとき。あの時、女の人から電話がかかってきたじゃない。あれはいったい何なのよ」

そう言った瞬間、体から力が抜けた。胃のあたりから不快なものがせり上がり、血の気が引く。葉月はトイレへと駆け込んだ。便器を抱え込み、胃の中にあるものを吐き出す。喉が奇怪な音をたてて鳴り、さっき食べたものがほとんど消化されていない状態で、便器の中にぶちまけられた。それを見ていると、再び吐き気が襲ってきた。葉月はもう一度、便器を両手で抱えた。

　水のような胃液しか出てこなくなり、胃が痙攣《けいれん》を始めるまで葉月は嘔吐《おうと》を繰り返した。胃が軽くなるのに従い、もやがかかっていた思考も幾分はっきりとしてくる。なんとか立ち上がり、便器に水を流す。

　トイレを出ると、濡《ぬ》れタオルを手にした啓介が立っていた。

「しようがないやつだな、まったく」

　啓介は葉月の顔を乱暴にぬぐった。ひんやりとした濡れタオルの感触が心地いい。

「痛い……」

「贅沢《ぜいたく》を言うな」

　ふいに啓介の腕が伸び、葉月の頭を抱え込んだ。啓介の体温がパジャマの薄い布を通して頬に伝わってくる。心臓が一定のリズムを刻む音、そして雨上がりの庭土の匂い。葉月は啓介の胸に頬を押し付けた。

「電話をかけてきたのは、医局の女性だよ。外科にだって女の人はいる。馬鹿なことを考えるんじゃない」

　葉月はしゃくりあげながらうなずいた。

　信じていいのか分からない。それでも、心のどこかでほっとしている。

　あやすように肩を叩くと、啓介は言った。

「もう寝ろよ」

　啓介から体を離す。見上げると穏やかな啓介の眼差しと出会った。水を湛《たた》えた湖のように深く静かな光が、切れ長の両目に宿っている。

　暖かいものが胸の奥にこみ上げてくる。酔っているせいかもしれないと思い、葉月は頬を手でこすった。酔っているから、まともに考えられないのかもしれない。

　そのとき、ふいに克二から頼まれたことを思い出した。

「ねえ、あなた臓器移植を受けたい子供を海外の病院に紹介しているの？」

　啓介がかすかに眉をひそめた。

「なんでそんなことを聞くんだ」

「今日、いっしょに飲んでいた友達が新聞記者をしているの。あなたに話を聞きたいんだって」

　啓介の目が冷たく光った。

「マスコミなんかに話すことはない。移植っていうのは、デリケートな問題だ」

「でも、あなたが中心になってやっているんでしょう。医学部長の岸川先生は移植は専門外だし」

啓介は葉月の身体に巻き付けていた腕をほどいた。

「この話はこれでおしまいだ」

いつの間にか啓介の顔から表情が消えていた。啓介は葉月に背を向け、リビングルームへと歩き始めた。背中が揺れる様子を見ていると酔いがぶり返してきた。廊下の壁に飾ってあるヨットのリトグラフが歪んで見える。

今夜のところは、何も考えずに寝たほうがいい。その前に、シャワーを浴びたい。

葉月はベルトに手をかけた。指が思い通りに動いてくれず、バックルをはずすことができない。

「ああ、そう言えば」

啓介がソファに坐ったままで声をかけてきた。

「お前、去年の暮れに俺が渡した血液サンプル、まだ保存してあるか?」

葉月はベルトのバックルを指でいじりながら考えた。頭がぼうっとしていて、記憶の糸を手繰り寄せることができなかった。

「覚えていないのか。学会に出す論文を書くときに、お前に実験の手伝いをしてもらっただろう」

「ああ……」

ようやく思い出した。去年の暮れごろだろうか。啓介から論文のデータを作成する際に必要な実験を手伝ってほしいと言われたことがある。臓器移植後に感染症にかかった人の血液を調べる実験だった。すでに一度、実験はすんでいるが、論文に添付して送るため、きれいなデータが欲しいと説明を受け、菌やウイルスを検出する試薬とともに血液サンプルを受け取った。

記憶が次第にはっきりとしてきた。移植を受けた人は、いくつかの菌の感染を受けていた。免疫抑制剤を服用しているため、どうしても感染を受けやすくなるのだ。いくつかの菌が認められた。それともう一つ。あの時、調べた血液の実験用のシートには、妙な位置に肝炎ウイルスの存在を示すバンドがあった。そのウイルスの大きさから考えると、ありえない位置にごく薄い色がついているような気がした。が、そんな変な位置にバンドが出るはずはなかった。埃の混入や試薬の具合で背景にノイズが出ることは実験をやっているとよくある。そのバンドも単なるノイズに過ぎないように思えた。だから葉月は結果を写真として焼き付けるときに明るさを調整した。そうすればバンドはほぼ消える。捏造《ねつぞう》にはあたらないし、不誠実というほどのことでもない。ノイズの原因を逐一調べていたら手間ばかりかかって、肝心の実験が先に進まない。実験をやり直す時間もなかった。

あのとき、預かった血液サンプルなら実験室にある冷凍庫に今でも入っているはずだが、探し出すのは一苦労かもしれない。

そのとき、ふいにバックルがすっぽりはずれた。小さく歓声をあげた。

「その様子では覚えていないようだな……」

啓介がつぶやくのが聞えた。

4

薄桃色の培養液が入ったシャーレの底に、幾千もの細胞が張り付いている。一つ一つの細胞がまるで生き物のように見える。中心にある楕円形《だえんけい》の核は目玉のようだった。顕微鏡のレンズ越しにこっちを見つめ返してくる。

今にも目玉が動き出しそうな気がして、葉月はレンズから目を離した。

克二と会ってから二日が過ぎた。

あの夜、啓介の感情の一端に触れたような気がしたのは、思い過ごしだったように思う。啓介は一昨日も昨日も、生気のない目をして言葉らしい言葉を発することはなかった。

酔っていたから深く問い詰められなかったことが悔やまれた。酔っていたからこそ、問い詰めるチャンスだったのに。普段の自分なら決して口にできないこと、アルコールの力を借りて言ってしまえばよかった。

細胞を播《ま》いたシャーレを五枚重ねて培養装置に戻すと、葉月は実験ノートにデータを記録して実験室を出た。まだ作業は残っていたけれど、心がざわついていて集中できそうになかった。

控え室に戻るとミーティング用のテーブルに真鍋がいた。細かな文字でデータを書き込んだノートをにらみながらカップラーメンを啜《すす》っている。窓を閉め切っているためか、部屋には醤油《しょうゆ》と化学調味料が入り混じった人工的な匂いが充満していた。

真鍋は葉月を一瞥《いちべつ》すると、すぐに視線をノートに戻した。

最近の彼の仕事ぶりには内心、驚かされていた。「万年助手」と陰口を叩かれても気にするそぶりをまったく見せず、教授から注意を受けても聞き流すだけだったのに、どんな心境の変化があったのか、この一月ほどは実験室にこもっていることが多い。

「なにか面白いデータが出ているんですか？」

真鍋は無視を決め込んでいる。しかし、葉月が真鍋の後ろを通りすぎるとき、分厚く肉がついた背中越しにノートを覗《のぞ》き込もうとすると、驚くほど素早い動作でノートを伏せた。

「あんたには、関係ないだろ」と、ぎょろりとした目をさらに剝《む》く。

葉月は白衣のボタンをはずしながら、真鍋をまっすぐに見返した。

「同じ研究室の人の実験に関心がないほうが変じゃない」

真鍋は鼻を鳴らすと、わざとらしいほどゆっくりとした動作でノートを閉じた。ラーメンの容器に手を伸ばし、音をたてて汁を啜り始める。容器を九十度の角度に傾けて最後の一滴まで汁を飲み干すと、大きなゲップを一つした。ベルトの上にせり出した腹を撫で、満足そうにふうっと息を吐き出す。

「真鍋さん！」

真鍋は鼻の付け根に皺《しわ》を寄せると、厚ぼったい唇を歪めた。

「いい気になってるんじゃねえよ。偉そうに。あんたこそろくな実験をしていないじゃないか。論文は量産しているようだが、中身は怪しいもんだ」

「どういう意味ですか」

「あんた、データを捏造《ねつぞう》する名人だそうじゃないか」

葉月の頬に血が上った。真鍋にそんなことを言われたくはない。

「背景を消してきれいなデータを作るのは得意だけど捏造なんてしないわ。見栄えのするデータじゃないと、論文の審査に通りにくいっていうのは常識でしょう」

怒鳴りつけたい気持ちを抑えて言う。

真鍋は空になった容器を投げた。容器は弧を描き、ゴミ箱に入った。

「おっ、ナイス！」

真鍋は指を鳴らすと、思い出したように葉月を見た。

「俺のことより、あの桜木って女をなんとかしたほうがいい」

「彼女が何か？」

栄子は基礎的な実験技術を大学院生に教わっているはずだった。

「あのお嬢さん、他人の都合なんて構わずに実験のやり方を教えろときんきん声で迫るもんだから学生が困ってる」

「そう」

「なんとかしてやれよ。あんた、助教授の椅子を狙っているんだろ。研究室のメンバーのいざこざを収めるのも仕事のうちだぜ」

真鍋が頬を歪めている。笑っているらしい。

――筆頭助手はあなたでしょう。

そう言い返したかったが、言っても効果などないことは分かりきっている。

葉月は白衣を乱暴にたたむと、再び部屋を出た。

実験台が八つ並んだ大実験室のドアを開けると、栄子の声が耳に飛び込んできた。

「若林君！　マイクロインジェクションのやり方、教えてくれって言ったでしょう！」

実験台の前でピペットを握った若林がうな垂れていた。栄子は彼の前で、腰に手を当て足を開き気味にして立っている。大柄な栄子の前で体を縮めている若林は、女教師にしかられている中学生のようだった。栄子の背後から、葉月はそっと二人に近づいた。

「駄目じゃない！　ちゃんと教えてくれないと」

「ですけど、僕にも自分の実験が……。論文も書かなきゃならないし」

細い声で若林が言う。

「桜木さん」

葉月が声をかけると、栄子が振り向いた。釣りあがった目が怒りに燃えている。

「ちょうどよかったわ。若林君になんとかいってください。彼、私に実験のやり方を教えてくれないんです。仲沢さん、彼に私の先生役をしてくれるように指示を出してくれたんでしょう」

助けを求めるような顔で、若林が葉月を見た。眼鏡の奥にある小さな目が不安げに揺れている。

「彼だって、暇なわけじゃないんだから。手の空いたときに教えてあげるように伝えたのよ」

栄子は頰を膨らませると、額にかかる前髪を指ではらった。

「もういいです。埒《らち》があかないわ。ほかの人に聞きますから」

「桜木さん！」

栄子は葉月の横をわざとらしくすり抜け、白衣の裾を蹴《け》り上げながら部屋を出ていった。その後ろ姿を見送っているうちに、苦い気持ちが胸に広がる。

かつての自分の姿を見るようだった。二十代半ばのころ、まだ臨床医として別の大学病院に勤務していたときには他人と衝突してばかりだった。怒りを腹にしまいこむ術《すべ》を知らなかった。それだけではない。あざとさも十分身に付けていた。どうやったら教授の受けがよくなるのかをいつも考えていた。その結果、災いも招いてしまった。

それが基礎研究に転じるきっかけとなったのだ。

「先生、すみません」

若林の声で我に返る。

「彼女、何をそんなに焦っているんだろう」

「よく分かりませんけど、どうしてもやらなきゃならない実験があるんだって、そのためにこの研究室に来ているんだから協力しろって、ものすごい剣幕で突っかかってくるんですよ」

葉月はうなずき、先を促した。

「知ってますか?」と若林が声をひそめる。「外科にいる友達から聞いたんですけどね、桜木さん、アメリカ人の恋人を最近、亡くしたらしいんですよ。だから苛《いら》ついているのかもしれませんね」

栄子に外国人の恋人がいたというのは、初めて聞く話だった。意外な気はしなかった。が、亡くなってしまったというのは気の毒なことだった。

若林は話を続けたそうだったが、葉月が遮《さえぎ》った。研究室のメンバーの個人的な事情に立ち入る気はなかった。

「それより、あなたの論文の進捗具合はどう? そろそろまとめに入ったほうがいいわよ。秋になったら、学会の準備で身動きが取れなくなるんだから」

若林は白く細い指で頰をこすった。

「一応、ざっと書いてみたんですけど、英語に自信がなくて」

「とにかく一度、見せてよ」

「実験を切りがいいところまで片づけたら、原稿をプリントアウトしてみます」

葉月は若林に向かってうなずくと、実験室を後にした。


その夜、啓介は七時過ぎに帰宅すると、いつものようにソファで自分一人の世界へと入っていった。背もたれに体を預け、目を閉じ深いため息をつく様は、病み上がりのようだ。生気というものがまるで感じられない。

葉月は早くなっていく鼓動を抑えようと、ゆっくり息を吐き出した。

今夜こそ、きちんと話をしよう。そして啓介の心を取り戻すのだ。

はずしたエプロンで手をぬぐうと啓介の隣にさりげなく腰を下ろした。動悸《どうき》は収まるどころか、激しくなっている。

肩が触れ合うほど近くに坐ったというのに、啓介は眉一つ動かさない。

「ねえ」

啓介の頬が、わずかに動く。

ひるみそうになる自分を鼓舞し、胸に秘めていた言葉を唇から押し出す。

「あなた、このごろ変だよ。なにがあったの?」

自分の声に咎《とが》めるような響きが混ざっていることにうろたえながら、葉月は言葉を続けた。

「毎晩、なにをしているの? 病院にずっといるわけじゃないでしょう?」

啓介は感情のこもらない目で、葉月を見た。目をしばたたくと、ふっと小さな吐息をもらす。

「別になんでもないよ」

「私……。見てられない。あなたがそんな風に毎日、沈み込んでいるのを。もしかしてアメリカに行く話、出ているの? だったら、あなたの好きなようにすればいい。一緒に行くから」

啓介は微笑んだ。

「結婚するときに言っただろう? お前は強いよ。それに能力もある。俺に合わせることはないんだ」

「でも……」

「お前は別に俺のことを気にする必要なんてない。お前の研究の話を聞くのは勉強になるし、いろいろ教えられる」

研究。その言葉が葉月をひどく落胆させた。誰にもできないことを自分はできるという自負はある。そういう気概がなくては、この世界ではやっていけない。

だが、それがどれだけの意味を持つのだろう。たとえ仕事の世界で一番になっても、一人の女として、かけがえのない人間として夫に見てもらえなかったら、自分の存在意義などないに等しいのではないか。だが、これればかりは、一人で気張ってみたところでどうしようもない。あきらめにも似た気持ちで葉月はつぶやいた。

「結局、それだけなのね。こっちが心配してるっていうのに」

葉月は立ち上がると、ベランダに面した窓を開けた。排気ガスの匂いが混ざった風が頬をすり抜けて部屋へと入っていく。

「ちょっと疲れているだけだ。心配しなくていい」

背後で啓介が言った。

「本当にそれだけ？　私にはそうは見えない」

葉月は唇を噛むと、啓介の目を見ずに言った。

「あなたもしかして、別れたいと思ってない？」

そんな台詞《せりふ》を吐かなくてはならない自分が惨めだった。涙が一粒、目頭からこぼれた。昔、父が言っていた。薄汚いまねをしたと。啓介に妻子と別れてくれと言ったことはない。だから自分は悪くないと思いこもうとしていた。けれど、原島公子と彼女の息子から見れば、自分は略奪者なのかもしれない。その報いを今、受けようとしているのかもしれない。

沈黙を破るように電子音が鳴り始めた。啓介は緩慢な動作で、ズボンのポケットから携帯電話を取り出し、耳に押し当てた。

葉月はそっと窓を閉めた。

「なんだと！　すぐにそっちへ行く」

強い調子で啓介は言うと、電話のスイッチを切って立ち上がった。

「何かあった？」

啓介は、葉月が目の前にいることにたった今、気付いたように、落ち着きなく視線を動かした。

「出かけて来る」と短く言うと、啓介はテーブルに投げ出してあった鍵束を取り上げた。

「仕事じゃないのね」

啓介は何も答えずに玄関に向かって歩いていく。

仕事のはずがない。仕事ならば、書斎に置いてある鞄《かばん》を持っていくはずだ。

葉月は啓介の腕をつかんだ。その瞬間に、強い力で振り払われる。バランスが崩れ、葉月は床に腰から落ちた。

感情を失った啓介の目が一瞬、葉月を見たが、視線は一秒も交錯しなかった。啓介は背中を向けると玄関に出しっぱなしになっている靴に足を突っ込み、肩でドアを押した。

「待って！」

葉月は叫んだ。答えが返ってこないことは分かりきっている。それでも葉月は、啓介の名を呼んだ。

重い音をたててドアが閉まる。遠ざかる足音。そして嘘のように静かになった。フローリングの床が冷たい。白熱灯が妙にまぶしい。床を拳で思い切り叩くと、葉月は瘧《おこり》にかかったように震え続ける自分の体を両腕で抱きしめた。涙が流れ、食いしばった歯の隙間《すきま》から嗚咽が漏れる。いったん声が出てしまうと、あとはきりがなかった。

どうしてこんなことになってしまったのか、いくら考えても分からない。

啓介は子供を抱えた公子と離婚してまで、自分を選んでくれた。容姿で彼女に勝てないことは自覚していた。だが、何か別のものが自分には備わっていると思っていた。啓介の心をとらえるような何かが。そう考えたとき、それまでとは全く違う世界が目

れたのだ。

私は研究にしか能がない女じゃない。啓介のように、誰もが認める有能な男に選ばれたのだ。

受験、そして学内での競争。一つ一つ課題をクリアしても埋められなかった心の隙間が、ようやくふさがった気がした。

それなのに今はどうだ。汚れたモップのように惨めに廊下にうずくまり、涙を止めることさえできない。それでも別れたいかと問われれば、首を横に振るしかない。意地になっているのかもしれないけれど、自分から別れを切り出すことはできない。腹が立つけれど結局、啓介が好きだった。こんな合理的でないことを何故自分が考えるのか分からない。実験のようにすぱっと結果を出せたら、どんなに楽になるだろう。

葉月は目尻を指でぬぐった。

その時、電話が鳴り始めた。リビングルームの固定電話だった。無視をしようと思っても、電話は執拗《しつよう》に鳴り続ける。

受話器を取り上げると、細い声が聞えてきた。

「すみません。啓介、いますか?」

その瞬間、出なければよかったと後悔する。公子だった。啓介は離婚してからも、月に一度ほど息子に会いに行く。待ち合わせ場所の打ち合わせのために、公子が電話をかけてくることが時折あった。が、たいていは職場の電話か携帯電話で連絡をしているようで、自宅に電話がかかってきたのは、半年ぶりぐらいだった。なぜ、よりによってこんな時に。今、最も話をしたくない相手が彼女だった。

「出かけてるんです。携帯にかけてもらえますか」

そっけなく言って電話を切ろうとしたが、原島公子は「待って！」と叫んだ。

「携帯にはかけてみたし、病院にも電話したけどつかまらなかったの。実は……宏がいないのよ」

葉月は受話器を持ちなおした。

「どうしよう。私、どうすればいいのかしら」

時計は、八時半を少し過ぎたところだった。五歳の子供が出歩く時間ではない。

「幼稚園や友達の家に連絡は？」

「してみたわ。お友達と一緒に公園で遊んでいたけどずいぶん前に家に帰ったはずだって」

「そう……」

親でなくても心配になる。ましてや宏は啓介の息子だ。赤の他人と言い切ることもできない。

「あなた、今からこっちにきてもらえないかしら。そのへんを少し、捜したいのよ。その間に宏が帰ってきたら困るから」

「私が？」

公子の家にあがることには抵抗感があった。彼女の生活を目にしたくなかった。

「あの、近所の人に頼んでみたらどうですか」

「近所付き合いなんてしているわけがないでしょう。できるはずないじゃない」

その言葉は、葉月をひどく滅入らせた。

「あなたがあの人にちょっかいを出したから、こうなったんですからね」

吉祥寺の改札口を抜けていった公子の姿が脳裏に浮かぶ。丸まった背中、つやのない髪。彼女をあんなふうに変えたのは自分なのだろうか。同情は偽善的でいやらしい。そう思いながらも、後ろめたさを振り払えない。

「そっちの住所、教えてください」

電話台の引き出しからメモパッドを取り出すと、葉月は公子が告げる住所を書き取った。

公子の住むマンションは、グレーのタイル張りの外観が清潔な印象を与える建物だった。みすぼらしい住まいでなかったことにほっとする。と同時に、こんなにも近くに公子が住んでいたことに愕然《がくぜん》とする。啓介はもしかして、しょっちゅう公子の家を訪れていたのではないだろうか。そんな気がした。が、今はそんなことより宏のことが気掛かりだった。

教えられたとおりにエレベーターを使って五階まで昇り、一番奥にある部屋の前で足を止めた。一呼吸を置いてからチャイムを鳴らすと扉が内側から開けられた。まぶたを薄赤く染めた公子が立っていた。ノースリーブの白いブラウスと黒いスカートという服装のせいか、頼りない女学生のように見える。

玄関を入ると、すぐにダイニングキッチンがあった。リノリウム張りの六畳ほどの部屋で、白々とした蛍光灯の灯《あ》かりが眩しい。テーブルや流しには、皿一枚すら出ていない。真っ白な冷蔵庫の扉には、保育園の行事予定表が赤いマグネットで留めつけられている。

「留守番しているから、捜しに行ってください。宏君が帰ってきたらすぐ連絡するわ。携帯電話、持ってます？　なければ貸しますけど」

葉月が言うと、公子は椅子の背にかけてあったベージュのカーディガンに手を伸ばした。しかし、外へ出ようとはしない。ぼんやりと床を見つめているだけだ。

腕時計を確認すると、すでに九時を過ぎている。さすがに葉月も心配になり始めた。

「出かけないの？　それとも警察に連絡しますか。そのほうが安心かもしれないわ」

公子は落ち着かない様子で爪先《つまさき》で床をこすっている。それを見ていると、苛立ちがこみ上げてきた。人を呼びつけておきながらいったいこの女は何を考えているのだろう。だいたい、どうして自分がこの女の面倒を見なければならないのか。彼女は敵だった。啓介が少なくともかつては彼女を愛していたことは間違いない。やつれたとは言え、自分より明らかに整っている顔立ち。ふっくらとした胸元。見ているだけで胸がむかむかしてくる。そればかりではない。こっちの心を思いやることもなく、自分が必要とあらばはずかしげもなく相談を持ちかけてくるその神経。純粋、と言えなくもない彼女の性格こそが、憎むべきものだった。

この女は、絶対に許せない。

が、思い直す。今、問題にすべきなのは、宏のことだった。啓介の息子の無事を確認すること。その手伝いをするのだから、と自分をなだめる。それで納得してしまうところが自分の弱さだと思った。お人好し。自分の性格を嫌悪しながら葉月は言った。

「私が電話しましょうか」

公子は思案するように目を閉じたが、緩慢な動作で首を横に振った。

そのとき、ようやく気付いた。公子はどこかおかしい。両目の焦点が合っていないし、まるで魂が抜けてしまったように全身がふわふわと揺れている。

「あなた、何か隠しているんじゃない？」

葉月は尋ねた。

公子が大きく身体を震わせた。その両目に涙が膨れ上がる。

「どうしたのよ。あなたがしっかりしなきゃ駄目じゃない」

葉月は公子の肩をつかんで揺すった。まるで手応えがない。大きな人形を相手にしているようだ。公子は唇を引き結び、宙をにらむばかりで、なにも答えようとはしない。

このままではどうしようもない。胸に不安が渦巻き始める。

葉月はダイニングキッチンの隅にあった電話に手を伸ばした。その瞬間、公子が信じられないほどの素早さで飛びついてきた。葉月から受話器をもぎ取り、それを胸に抱え込む。公子の眉毛の両端がハの字に下がり、今にも泣き出しそうだった。

「警察に電話しましょう。それが一番、安心だわ」

相手を刺激しないよう、なるべく穏やかな声で葉月は言った。

公子が薄い唇を歪めると、歯の間から搾《しぼ》り出すような声で言った。

「もう、電話はできないのよ」

どういう意味だろうか。

公子が大きくしゃくりあげる。

「ちゃんと説明してください！」

公子が充血した目で、恨めし気に葉月を見上げる。

「話してくださいよ」

できるだけ優しい口調で言うと、ようやく公子はうなずき、テーブルに置いてあったティッシュで涙を拭くと、音をたてて鼻をかんだ。息を整え、葉月の目をすがるように見る。

「宏は、誘拐されたの」

葉月は言葉を失った。腫《は》れ上がったまぶたを閉じ、唇を噛んでいる公子の顔を呆然《ぼうぜん》と見つめた。

誘拐――。

にわかには信じられなかった。そんなものは自分とは一生、関わりがないと考えていた。しかし、すぐに思い直す。千葉県でも最近、子供が誘拐された。あの子の両親は自分の子が誘拐されて殺されるなどとは想像もしていなかったはずだ。

誘拐という言葉を口に出したことで、現状に立ち向う覚悟ができたのだろうか。公子の身体の震えは止まっていた。

「あなたに電話した後、電話があったわ。身代金を二千万、明日の午後までに用意するように言われた。警察に電話したら、宏の命はないと思えって」

葉月は公子が胸に抱いていた受話器に手を伸ばした。公子はそれをさらにしっかりと抱え込んで放そうとしない。

「警察じゃない。啓介さんに連絡を取るだけだから」

「もう、何度もかけたわ。留守番電話にもメッセージを残した」

公子は強張《こわば》った表情のまま、葉月に向かって受話器を差し出すと、低い声でつぶやいた。

「どうして私ばっかり、こんな目に合うの」

葉月は公子から視線を逸らした。

警察に任せたほうがいいと思う。犯人を刺激したくないという気持ちは分かるけれど、こういう場合、普通は通報するものなのではないか。警察だってその辺の事情は心得ているはずだ。下手な動き方をするはずがない。報道協定を結び、極秘裏に捜査を進めてくれるだろう。

合理的すぎるのだろうか。子供がいないから、公子の心の内が分からないのだろうか。それでも素人ができることには限りがある。こんな事件に対処する方法なんて知っているわけがない。とにかく、今は冷静にならなければならない。葉月はジーンズのポケットから携帯電話を取り出した。

「啓介さんに連絡してみるから」

公子がかすかにうなずいた。

呼び出し音が五回鳴った後、留守番電話の応答メッセージが流れる。宏君のことで、至急、連絡をしてほしい。そう吹き込むと、電話を切った。

「警察に電話しましょうよ」

「駄目よ！」両目を大きく見開き、公子が訴える。「この前、千葉で誘拐された子供は殺されたわ。あれは警察に連絡したのが犯人にばれたからじゃないの？　そうに決まってるわ」

「だけど、このままでは心配だもの」

公子が顔を上げた。彼女の目が異様に光っている。葉月は背筋がぞっとするのを感じた。頰に垂れかかっている髪の毛を振り払うと、さっきまでとは打って変わったような厳しい表情で葉月を見据えた。

「あなたになんか指図されたくない。宏は私の子なんだから」

「ご両親には？」

「二人とも老人ホームで暮しているし、高齢なのよ。頼りにはできない。親しくしている親戚もいないし……」

「啓介さんの実家に連絡をとりましょうか」

彼らにとって宏は孫に当たる。離婚した前妻との間の子でも、孫に変わりがない。啓介の父親は青森市で総合病院を経営している。何かいい考えが得られるかもしれない。

葉月は期待をこめて公子を見たが、彼女は硬い表情で首を横に振った。

「信用できない。離婚の話が出たとき、啓介を止めてくれるようにあの人に頼んだけど、取り合ってもらえなかったのよ。宏のことなんてどうでもいいと思っているに違いないわ」

葉月はため息をついた。もう一度、啓介の携帯電話を鳴らした後、念のために病院にも電話をしてみたが、啓介の居場所はつかめなかった。こんな夜にどこへ行っているのだろうか。女のところだとしたら、自分も公子も彼を許しはしないだろう。

葉月は床に坐りこんでしまった公子の肩に手をかけた。はっきりと言うしかない。

「身代金を渡したって宏君が無事に帰される保証はないのよ」

「そんなことないわよ。お金が目当てなんだから。お金ならなんとかなる。両親がホームに入るとき、家を処分したの。手をつけずにとってあるから大丈夫。お金さえ払えば、宏は帰ってくるわ」

自分を納得させるように、公子は何度も小刻みにうなずいた。白っぽく乾いた唇が痛々しかった。

そんな保証はない、ともう一度、口にしかけたが途中で止めた。それを今、彼女に向かって告げるのは、あまりに残酷な気がした。

「ねえ、あなた私といっしょにここで待っていてちょうだい。一人では心細いわ」

公子は葉月の腕をつかんだ。細い指が肌に食い込んでくる。その痛みが哀しかった。

啓介のために、彼女に付き合おう。

葉月はそう心に決めると、うなずいた。

5

一睡もせずに朝を迎えた。

明け方近くにコンビニエンスストアで買ってきた煙草に火をつけ、ベランダに出た。睡眠不足で朦朧《もうろう》とした頭がすっきりするかと思った。それなのに、煙草は苦いばかりで、少しも気持ちは落ち着かない。それどころか、胸がむかむかしてくる。フィルターを三度ほど唇につけた後、ベランダの床でもみ消した。

ベランダの柵《さく》に寄りかかり、眼下に広がる武蔵野の町並みを見やる。まだ淡い陽射しのなかで町がゆっくりと眠りから覚めようとしている。このあたりは周囲に高い建物が少ない。道路の一本、一本まではっきりと見て取ることができる。オレンジ色をした中央線が、新宿方面に向かって走っていく。

空気を胸の奥まで吸い込むと、いくぶん頭がすっきりとした。

振り返ると、和室の壁に背をもたせかけ、膝を抱えている公子が目に入った。ずいぶん前から姿勢が変わっていない。

公子の唇はまっすぐに引き結ばれ、目を閉じているが、眠っているわけではない。頬のあたりが時々神経質に痙攣していた。

部屋に戻ると、ダイニングテーブルの椅子に腰を下ろした。肘をついて目を閉じる。こめかみのあたりを指で強く押す。

今からでも遅くはない。警察に連絡したほうがいいように思える。しかし、それを決めるのは自分ではないという思いもぬぐえない。宏という五歳の少年の生死がかかっている。

啓介には昨夜、何度も電話をかけたが、つかまえることはできなかった。病院には伝言を残してある。もし啓介と連絡がついたら、この家か葉月の携帯電話に電話をかけてくれるように頼んである。

とりあえず今日は休みを取るしかない。ころあいを見て若林あたりに電話をしておこうと思った。

電話が鳴ったのは、昼をとうに過ぎてからだった。

公子がスカートをひるがえして立ち上がる。受話器を取る前に、葉月を見た。できるだけ力強くうなずく。

犯人からだろうか。

葉月は公子に体を寄せ、電話の声を聞き取ろうとした。相手の声は低く、何も聞えない。少なくとも啓介からの電話ではない。公子の横顔がこわばっていることを見れば、それは分かる。

公子は小さな声ではあるけれど、意外にしっかりと受け答えしている。葉月は落ち着かない気持ちで両手の拳を握り締めた。

「待って！　宏の声を……」

公子が大きな声をあげた。放心したように受話器を耳から離す。それを奪い取って耳に押し当てたが、すでに電話は切れていた。電子音が流れてくるばかりだ。

「相手はなんて？」

「今夜十一時、新宿にある戸山公園までお金を持って来るように言われた」

「警察に……」

そう言いかけた葉月を公子は強い調子で遮った。

「あなたは黙ってて。私、これから銀行へ行くわ」

葉月は唾《つば》を飲み込んだ。

苛立ちを通り越して、腹立たしさが込み上げてくる。どうしてこうも強情なのだろう。そうはいっても、今、ここで彼女を見捨てるわけにもいかない。彼女ではなく、宏のことをまず考えるのだ。

「あなたはここで、待っていて。啓介から連絡が入ったら、すぐこっちに来てもらうように言って。そして……」

公子は葉月をひたと見つめた。さっきまでの弱々しい目つきではなかった。充血した両目には、強い決意が宿っていた。興奮のためか、頬も紅潮している。

「警察に電話したら承知しないわよ。もしそのせいで宏が殺されたら、私、あなたを許さない」

葉月の背筋に震えが走った。体が硬直したように動かない。なんという強さだろう。ひたむきさだろう。ここまで他人に迷惑をかけておいて何を言う、という論理などいともたやすくはねのけてしまう。その時、葉月には分かった。今、公子があからさまにむき出している感情こそが、自分に欠けているものだった。気持ちが届かないのは、啓介のせいではなく、自分のこうした性格のせいかもしれない。

公子は葉月のことなど眼中にないように、昨夜から準備してあった銀行の通帳を布の手提げ袋に押し込むと、背筋を伸ばして、部屋を出ていった。

夜の戸山公園は暗く静かだった。都心といえる場所で夜、これほど静かな場所があることを初めて知った。

街灯を頼りに、新宿スポーツセンターの裏にあるごみ箱へと向かう。現金を紙袋に詰め、ごみ箱の中へ入れる。それが犯人の指示だった。

葉月はこみ上げてくる不安を抑えてベンチに腰を下ろした。ウエストポーチからタオルを取り出し、軽く額をぬぐう。さっきまであたりを軽く走っていたので、動悸が激しかった。自分がジョギング愛好者に見えるかどうかは自信がない。公子から借りたスウェットスーツを身につけてはいるが、自分の表情はかなり強張っているはずだ。

ベンチは犯人が指定したと思われるごみ箱からは二十メートルほど離れていた。金属製のごみ箱の脇には、段ボール箱が打ち捨てられているが、それ以外に特に目立ったことはない。あたりをそれとなくうかがうが、人影は見当たらなかった。

葉月は空を見上げた。都会の夜空は漆黒ではない。眠らない繁華街の灯かりが、闇を薄め、空を薄墨色にしている。頬を撫でる風は、うだるようだった昼間の熱気をすっかりなくし、秋の気配さえ感じ取ることができる。

身の代金の受け渡し場所にいるということが、ひどく現実味のないことのように思えた。気持ちとは裏腹に、身体の震えがさっきから止まらない。

啓介にもう一度、電話をしてみようか。

ウエストポーチに手を伸ばしかけたとき、大きな紙袋を両手に提げて歩いてくる人影が見えた。公子だ。意外としっかりとした足取りで歩いてくる。

犯人からの電話を受けてから、公子は泣き言ひとつ言わなかった。自分が与えられた役割さえこなせば、息子が戻ってくる。そう信じ込んでいる様は、見ていて痛々しいほどだった。

公子は葉月に気付いたようだが、打ち合わせどおり、目を合わせようとはしなかった。興奮のせいか、公子の目が異様に輝いている。薄暗い街灯の光の下でもそれがはっきりとわかった。

公子はまっすぐにごみ箱に歩み寄ると、ためらうことなく現金を詰めた紙袋をごみ箱に落とした。ずっしりと重い音が聞えた。なにを思ったのか、公子はごみ箱の前にしゃがみこむと両手を合わせた。

公子は立ち上がった。と同時に彼女の動きが止まった。葉月はベンチから腰をあげかけたが思い直した。犯人がどこかで見ている可能性だってある。下手に動くことはできない。

公子は再びしゃがむと、ごみ箱の脇に捨てられている段ボール箱を開けにかかった。いったい何があったのだろう。

葉月は唾を飲み込んだ。

公子は何か壺のようなものを段ボール箱から取り出す。と同時に、紙切れのようなものが落ちた。それを手に取ったとたん、公子の口から悲鳴が漏れた。

「宏!」

公子が叫ぶ。そして葉月のほうを見た。恐怖に歪んだ表情を浮かべ、公子は葉月に向かって何かを訴えようとしている。

　葉月は周囲を見回した。

　もはや隠れていることに意味はない。そう判断すると、葉月は公子に駆け寄った。同時にいくつもの足音が近づいてきた。

　葉月はぎゅっと拳を握りしめた。

「どうしたんですか？　原島さん！」

　背広姿の男が四人、二人を見下ろしていた。

「あっ、これは……」

　男が公子の手から紙切れを引ったくる。葉月は男の手元を覗き込んだ。

　――原島宏の遺骨をお返しする。

　紙にはそう書いてあった。

　公子が抱きしめている壺。その中に宏の遺骨が入っているというのか。葉月の動悸がみるみるうちに速くなった。

　公子は放心したように立っていた。状況が理解できているのかどうかも疑わしい。彼女にかける言葉がなかった。

　葉月は公子の肩を抱いた。公子が我に返ったように葉月を見る。その表情がみるみるうちに変わった。目が釣り上がり、唇を歪めると、葉月をにらみつけた。

「あなた……」

葉月は地面に視線を落した。男たちの影が、アスファルトの上に長く伸びている。

ふいに頰に熱い痛みが走った。

「奥さん！」

刑事の一人が、公子を抱きかかえるようにして立たせた。

「なんてことするのよ」

公子が泣き叫ぶように言った。

「警察には黙っていてって、言ったのに」

葉月は顔を上げることができなかった。もしかしたら取りかえしのつかないことをしてしまったのかもしれない。

公子が銀行に行っている間に、警察に電話をして事情を話した。その後、研究室にいったん顔を出さなければならないからと公子を説得し、警察に出向いて説得した。その結果、警察は身の代金の受け渡し現場を張ってくれることになっていた。宏のことを考えたら、それが一番だと思ったからそうした。それなのに、こんな結果になってしまった。

「あんたのせいで、宏が殺されたのよ！」

涙混じりの公子の声が、全身に突き刺さる。

「お金を渡せば、宏は返してもらえたのに」

葉月は唇を噛み、アスファルトに手をついた。体の震えが止まらなかった。

警察と接触したことが犯人にばれたのだろうか。啓介になんと説明すればいいのだろう。もしかして自分のせいで宏が……。しかし、そう単純な話だとも思えなかった。壺を用意していたということは、犯人が初めから宏を殺すつもりだったのではないか。

公子の声は、次第に遠ざかっていく。車が走り出す音が聞え、ふいに静寂が身の回りを包んだ。自分の鼓動がはっきりと聞えてくる。

「仲沢さん、我々も行こうか」

落ち着いた声とともに、背中に手のひらが置かれるのが分かった。振り返ると初老の刑事が、ポケットに両手を入れて立っていた。

「いろいろと話を聞かなければなりませんから」

刑事は深い皺《しわ》が寄った目元に力を込めて言った。

「あなたの判断は、間違っちゃいない」

葉月は涙をぬぐうと、立ち上がった。無性に煙草が吸いたかった。

刑事は軽く葉月の肩を叩いた。

「さあ、行きましょうか」

葉月は力が入らない足を一歩、アスファルトに踏み出した。

6

低い声で読経が続く。僧侶《そうりょ》の声には抑揚がなく、一つひとつの言葉など分かるはずがない。それでも、心に染み込んでくるようだった。小さな楔《くさび》をいくつも柱に打ちこむかのように心の奥深くへと何かが響いてくる。痛みを和らげるもの、痛みを増幅させるもの。読経は葉月の心を妖《あや》しくかき乱す。

部屋いっぱいに線香の煙がたちこめ、息苦しかった。目を閉じると地の底へ引き込まれていきそうになる。手にした紫水晶の数珠の冷たい感触が、葉月を現実へと引き戻す。

黒い服に身を包んだ人々の合間から、僧侶の紫色の法衣がのぞく。読経の声が途切れるたび、ぬめるような光沢を帯びた紫色の背中がぞろりと動いた。

迷ったが結局、来てしまった。

水晶の玉を指先で転がした。

葬儀に参列する資格は自分にはないのかもしれない。それでも、足を運ばずにはいられなかった。小さな命を決して忘れることはできない。事件から四日が過ぎたのに、宏の亡骸《なきがら》を見つけたときの記憶が絶え間なく心を苛《さいな》む。

医学部にいた頃、法医学の授業で無残な死体の写真を何枚も見せられた。自動車事故に遭い、腹からはみ出してしまった内臓、毒に当たり、もがき苦しんだあとがはっきりと読み取れる顔、高温の炎に焼かれ、すっかり縮んでしまった体。

警察によると、あの壺には宏の全身に相当する骨と灰が入っていたという。ＤＮＡ鑑定でなんとか本人を確認することはできた。

新聞は連続誘拐殺人事件だと書き立てていた。千葉県で起きた事件と性格が似通っていたからだ。犯人は身の代金を受け取ることなく子供の命を奪った。週刊誌には、殺人鬼という見出しが躍っていた。そんなものを読む気にもなれなかったが、新聞の広告欄は嫌でも目に入る。

部屋には五十人ほどが集まっていた。幼い子供も何人か混ざっている。宏の死について正確に理解しているとは思えないのに、神妙な面持ちで膝を揃《そろ》えている。

葉月は背筋を伸ばして、祭壇に飾られている写真を見た。

原島宏は目に聡明《そうめい》な光をたたえた少年だった。すっきり通った鼻筋や形のいい唇が、宏を実際の年齢より大人びて見せている。少しあがり気味の眉が、啓介とよく似ている。

啓介は公子と並んで最前列に坐っている。背筋を伸ばし、祭壇を食い入るように見詰めていた。その隣でうな垂れている公子は、季節にそぐわない厚手の黒いワンピースを着ていた。死んだ烏《からす》のつがいのように、二人はぴくりとも動かない。二人が肩を寄せ合うように並んでいることに抵抗を覚える。公子は終った女なのだ。自分にそう言いきかせるが、心のざわめきは抑えることができなかった。二人が夫婦にしか見えなかったせいだ。だとすればここにこうして坐っている自分は一体なにものだろう。こんな時に、そんな幼稚なことを考えている自分が嫌になる。

啓介は宏が発見された翌朝、ようやく姿を現した。女と遠出をしていたのだと本人から聞かされても冷静さを保っていることができたのは、宏の死という衝撃のほうが大きかったせいだろう。宏の死を現実として受け止め、自分の中で消化することで精一杯だった。

私のせいなのだろうか。

何度も自分に問い掛けてみたけれど、結局、答えは出ない。自分のしたことが間違っていたとは思えない。事情聴取を担当した刑事も、葉月の判断が正しいと言ってくれた。それでも、ひりひりとした痛みが胸に残る。

顔を上げると、年老いた義父の姿が目に入った。前から三列目の端に座っている啓介の父親は大きな背中を丸めるようにして、肩を落としていた。急な呼び出しを受け、青森から駆けつけたせいか、啓介によく似た横顔は血色が悪く、白髪交じりの無精ひげが目立つ。

宏を殺した犯人はまだ見つかっていない。死因すら特定できていない。

読経が途切れ、部屋の空気が緩む。それを合図に焼香が始まった。僧侶が再び低い声で経文を唱え出す。その声に促されるように一人、また一人と参列者は立ち上がり、祭壇に歩み寄って手を合わせる。部屋に立ち込める香がいっそう濃くなった。

葉月は目立たぬよう、そっと席を立った。隣に坐っていた中年の女性が非難をこめた目つきで葉月を見たが、葉月は無言で部屋を後にした。

会場を出ると、猛烈な暑気と湿気が全身を包んだ。背中が汗ばみ、胸元にも粘っこい汗の粒が噴き出す。ブラウスの胸に手を置き、肌に強く押しつけた。素材が綿ではないせいか、ブラウスは汗を吸い取るどころか肌にぴたりと張りつき、気持ち悪さがかえって増した。

　バスを乗り継いで研究所につくころには、正午を回っていた。研究所に来るのは、事件以来、初めてのことだった。控え室にいったん立ち寄り、ハンガーにかけてあった白衣を羽織ると、葉月は実験室に向かった。気分が乱れているときには、実験台に向かうのが一番だということは、経験的に知っている。啓介に惹《ひ》かれ始めたころがそうだった。自分の気持ちを持て余し、かといってどうすることもできず、ふさぎ込むことが多かったあの頃。自分は何かに憑《つ》かれたように実験ばかりしていた。

　実験室の扉に手をかけたとき、部屋の中から怒鳴り声が響いてきた。葉月はドアに伸ばした手を止めた。

「お前みたいなお嬢さんになにができる！」

　真鍋の声だった。続いて強い調子の女の声が聞えてきた。

「……何もしないであきらめる無能な人よりはましです」

「その試験管をこっちに寄越せ。見ちゃいられない。だいたい、ここは一般研究室だぞ。そんなものを扱っちゃいけないってことぐらい、分からないのか」

「嫌です。これだけは任せられません」

　葉月はドアに手をかけ、ゆっくりと開けた。

真鍋の背中が硬直するのが分かった。栄子も小さく飛び上がった。

「……どうしたんですか」

二人の顔を見比べながら葉月は言った。

「なんでもねえよ。このお嬢さんが、危なっかしいことをしていたもんでね」

真鍋が白衣のポケットに両手を突っ込んだまま、葉月の目を見ずに言った。

栄子は固い表情を浮かべ、実験台にもたれかかった。興奮のためか、頬がバラ色に染まっている。栄子の目にも反省の色など微塵《みじん》もない。

「実験のことなら相談に乗るけど」

葉月が言うと、栄子は頬にかかる茶色い髪を勢いよく払いのけ、顎《あご》をつんと振り上げた。それは彼女のよく見せるしぐさだった。そして、そのしぐさの後には決まってきつい言葉が飛び出す。

「仲沢さんに相談しても、無駄なんですもの」

真鍋と同じぐらい、いや、それ以上に栄子は扱いが難しい。ため息を抑えて葉月は言った。

「とにかく、あとで話を聞かせて」

真鍋が舌打ちをもらした。

「へっ、偉そうに」

葉月は床に視線を落とした。今ここで、真鍋と言い争いをする気にはなれなかった。葬儀をすませてきたばかりで、そんな気力がわいてこない。真鍋もさすがにそのへんの事情は察知したようで、眼鏡をはずすとシャツの裾でレンズを丁寧にぬぐった。

「俺は勝手にやらせてもらうよ」

真鍋は葉月に背を向けると、実験台の引き出しから試薬の瓶を取り出した。わざとらしいほど慎重な手つきで、天秤《てんびん》の皿に油紙を敷き、耳かきのように小さなスプーンで粉末状の試薬を計り始める。

栄子は葉月を一瞥すると、足早に部屋を出ていった。固く引きむすんだ赤い唇からは弁解も言い分けも漏れはしなかった。ここでフォローの言葉を一言でいいから口にしておけば、ずいぶん印象は違うのに。栄子にそれを教えてあげたい気がした。

「さて、と」

葉月は声に出して言うと、自分の実験台に向かった。

一仕事を終え、控え室に戻るとスーツ姿の男がドアに背を向けて坐っていた。少し色が褪《あ》せたベージュのスーツとがっちりとした肩の線。男は脚をかたかたと動かしながら、せわしないしぐさで煙草を吸っている。

「どうしたの？」

葉月が声をかけると、渡部克二が振り向いた。

「よう」と、煙草を指に挟んだまま、片手を上げる。

「なによ、突然……」

葉月の言葉が終わる前に、克二は立ち上がると、少し外に出ようと言った。

「ハイヤーが外に待たせてあるんだ。エアコンが効いているし、煙草も吸える」

衝立ての奥から空咳が聞えた。真鍋がソファのあたりにいるようだった。

葉月は実験ノートを自分の机に置くと、克二とともに控え室の扉を押した。

研究所の裏手にある駐車場にハイヤーが停めてあった。克二は運転席の窓を叩くと、運転手に向かって親指で外に出るよう促した。

「ちょっと外で待っててよ。俺、この人と車の中で話したいから」

「はいっ！　かしこまりました」

白い手袋をはめた年配の運転手はきびきびとした動作で車から出てくると、後部座席の扉をうやうやしく開けた。当然のような顔をして克二が乗り込む。礼の言葉一つ出てこない。嫌な感じだと思った。

「運転手さん、いいですよ。私、ドア自分でやりますから」

「滅相もありません！」

克二が何をしているんだ、というように顎をしゃくる。葉月は扉を押さえながらかしこまっている運転手に頭を下げると車内に入った。

車内は鳥肌が立つほど冷えていた。葉月は運転席の背もたれにはめ込まれた灰皿の蓋をあけ、煙草に火をつけた。

「大変だったな」

葉月の隣に乗り込むと、克二は窓を細く開けた。

何を指してそう言うのだろうか。

遺体の第一発見者の一人になったことだろうか。それとも、啓介が女のところへ行っていたことだろうか。克二は新聞記者だ。宏の死についての情報は、ある程度持っていると考えたほうがいい。友達には、知っていてほしくないこともある。

「それにしてもお前も人が悪い。あの時、教えてくれたら良かったのに」

克二の顔を見ると、克二は戸惑ったように目をしばたたいた。

「旦那さんから、聞いていないのか」

克二はためらうように視線を伏せると低い声で言った。

「原島宏はアメリカで移植を受けていたんだよ」

煙草の先から灰がこぼれ落ちた。克二の顔をまじまじと見る。

「なんだ、ほんとうに知らないんだな。宏君は今年の春、アメリカの病院で心臓移植の手術を受けたんだ」

葉月は煙草を灰皿に押し付けた。指が自分のものではないように震え、うまく消すことができない。

克二は要領よく話し始めた。

海外で移植を受けた子供について調べているうちに、原島宏がアメリカのセント・チャールズ病院で移植を受けたことを突き止めたこと。それを確認しようと動き始めたその日に、宏が殺されたと知ったこと……。

知らず知らずのうちに手をきつく握り締めていたことを、手のひらに食い込む爪の痛みで知る。

「警察も宏君が移植を受けたことを知っているはずだけど、まだその線で動いている様子はない。千葉県で起きた事件とのつながりを探そうと必死だ」

「移植を受けたって……。どういうことなんだろう」

「原島宏は拡張性心筋症だった。お前も知っているだろう？　根治するには移植以外に道はない。まあ、いずれにしても彼が移植を受けた経緯をもう少し調べようと思う。

企画に使えそうなネタが出てくるかもしれない。導入部のエピソードに使えそうな話だよな。せっかく移植を受けることができたのに宏君は……っていう感じでさ」

克二がしゃべる言葉が耳を素通りしていく。葉月は膝に視線を落した。黒いストッキングにおおわれた膝小僧が見えた。久しぶりにじっくりと見る膝はふっくらとした厚みをなくし、骨張って見えた。

ショックだった。宏が海外で移植を受けたことについて、啓介は何も言ってくれなかった。重い病気にかかっていたことすら知らされていなかった。

啓介が公子と離婚したのは、宏が三歳のころだった。病気はその後、見つかったのだと思う。そうでなければ、離婚などしなかったはずだ。一緒に暮らしていたのに、啓介の身に突然、降りかかった苦しみを感じとることすらできなかった。

移植を受ける病院を探すことは、簡単だっただろう。啓介はアメリカに留学していた頃、移植をみずから手がけた経験があるのだから。それでも、費用の工面、煩雑な手続き、そして何より精神的な苦痛。それらのものをすべて自分の胸の内に抱え込み、葉月が立ち入ることを許さなかった。自分と啓介の間には、暗く深い闇が横たわっていた。それを知らないのは自分だけだった。

その考えは、葉月を打ちのめした。結局、啓介は公子から離れてはいなかった。宏という子がいたのだから、しかも特殊な状況なのだから、仕方がないと考えるべきなのだろう。だが、そんなふうには割り切れなかった。啓介の心が百パーセント欲しかった。二度目の妻というのは割に合わなさすぎる。始まった時から、完全を求める権利を放棄しなければならないなんて残酷すぎる。

　葉月は唇をきつく噛みしめた。

　克二は声を潜めた。

「さっき、医学部長の岸川のところに行ってみたけど、秘書に追い返されちまった。相変わらずノーコメントで通すつもりだ。だけど俺、このエピソードをどうしても使いたいんだ。生々しいかんじですごくいいと思う。実はこの企画、新聞協会賞を狙っているんだ。現場の声をできるだけ盛り込みたい」

「私は何も……」

「分かってるって。後でお前の旦那に話を聞こうと思ってる。その前に一度、お前に会っておきたかっただけだ。それじゃあ、俺、行くわ」

「私にわざわざ会いにきたの？」

「いや、原島さんの家に行くついでだよ」

「えっ？　今日、お葬式だったじゃない」

「俺も行こうと思ったんだけど朝、ばたばたしちまって間に合わなかった。だからこれから行ってみようと思って」

葉月の胸に怒りが小さな泡となって湧《わ》き上がった。泡は瞬く間に膨れ上がり、音をたててはじけた。

「彼女の気持ちも考えなよ。なにもこんな時に行かなくたって」なんで公子なんかの気持ちを代弁しているのだろう。つくづく自分が嫌になる。でも……。葉月は思う。人として絶対おかしいことを、見過ごす気にはなれない。自分は女だ。だが、その前に一人の人間だった。

「そりゃまあ……」

克二は一瞬、くちごもったが、すぐに気を取り直したように厚い胸を反らせた。

「気後れしていたらこの商売はつとまらない。それに記者って仕事は他人との競争なんだよ。競争は勝たなきゃ意味がない。学者先生には分からないかもしれないけどね」

克二の顔から、かつての面影は消えていた。変にぎらつく目をしている。目の前にいるのは友達なんかじゃない。

葉月は無言で車を出た。とたんに粘りつく空気が肌に絡み付いてきた。あたりはすでに薄暗く、太陽は半分沈みかけている。駐車場のアスファルトが昼間に吸収した熱気を放つから、気温が下がらないのだ。

ドアを力任せに閉めると、克二が慌てたように窓を開けて顔をのぞかせた。

「おい、ちょっと待てよ」

「あなたに話すことなんてない」

葉月は足早に歩き始めた。

7

翌朝、葉月は一人で目覚めた。昨夜は二時まで起きていたのに、啓介は帰ってこなかった。

どこで何をしているのか、気になってしかたがない一方で、安堵する気持ちもあった。もう少し気持ちを整理してから啓介と話し合いたかった。それにまさか息子の葬式の晩に女のところへ行くはずがない。青森から出てきた父親と二人で、都内のホテルにでも泊まったのだろう。

シャワーを浴びた後、コーヒーカップを片手に煙草を吸っていると玄関のチャイムが鳴った。サイドボードに乗せた置き時計の針は、九時を指している。こんな朝早くに訪問者を迎えるのは初めてだった。嫌な予感が胸をよぎる。チャイムが再び鳴った。

インターフォンを取ると軽い咳払いの後、男の声が聞えてきた。

「警視庁のものですが」

事件について何か分かったのかもしれない。はやる気持ちを抑えてティーシャツの上にカーディガンを羽織ると葉月は玄関へ急いだ。

鈴森と名乗った刑事は大粒の汗を額に浮かべていた。スーツと似たねずみ色のハンカチで額をつるりと撫でると、鈴森は顔を正面に向けたまま首を前に突き出してみせた。頭を下げているつもりのようだった。なんとなく嫌な感じがする男だと葉月は思った。唇の色が黒っぽいのが不潔な印象だし、目つきが変に鋭い。

鈴森の背後に背の高い男が所在なさそうに立っていた。まだ二十代の前半に見えるその男は鈴森とは対照的に丁寧に頭を下げた。

鈴森が目を細め、葉月の肩越しに廊下の奥をさぐるように見た。

「ご主人は？」

「昨日から戻ってきていないんです」

「どこに泊まったんですかね」

「さあ……。あの、事件について、何か分かったんですか」

「まあちょっとね。とりあえず、少しお邪魔していいですか」

嫌だとは言わせない。鈴森の細い目はそう語っていた。この男を家に上げるのはなんとなく気が進まないが相手は警察だ。葉月はしかたなくうなずいた。

リビングルームに入ると鈴森は勧めもしないうちにソファに深く腰を下ろし、ポケットから煙草を取り出した。若い刑事が申し訳なさそうに頭を下げて鈴森の隣に坐る。

葉月はダイニングテーブルから椅子を引っ張ってくると、鈴森の斜め前に坐った。

「早速で悪いんですが、原島宏が誘拐された夜のことについて、確認したいことがありましてね。あなたにももう一度、話を聞きたい」

「はあ」

捜査に進展があったわけではなさそうだった。軽い失望感が胸に広がる。

「仲沢さんはあの夜、電話を受けて出ていったんですよね」

「ええ」

「あなたも本人から聞いているようだから言いますがね、仲沢さんの話では、付き合っている女に呼び出されて二人で箱根のホテルに泊まり、翌日もずっとそこに滞在していたということだった。あなたたちの電話に出られなかったのは、宿が山間にあって携帯電話の電波が届かなかったからだと説明していた」

鈴森は腕組みをして、葉月をじろりと見た。若い刑事がスーツの内ポケットからメモ帳を取り出した。

「宿の人間に裏は取ったんだが、どうも証言があいまいなところがあって気になりましてね。昨夜もう一度、叩いてみた。そうしたら案の定、嘘をついていたんですよ。宿の親父、昔、難しい手術で命を助けてもらった仲沢先生の頼みを断れなかった、なんて言い出しましてね」

葉月は思わず膝の上で両手を握り合わせた。啓介が嘘をついたということが信じられなかった。

「仲沢さんが相手の女性の名をどうしても明かそうとしないのが嫌な感じだったんだ。奥さん、何か心当たりはありませんかね」

「私は何も……」

「妙な話だと思いませんか。息子が誘拐されて殺された晩、実の父親の行動がはっきりとしない。何をしていたんですかねえ、ご主人は」

鈴森は色の悪い唇を歪めた。細い目が意地悪く光る。それを見ていると、胸が悪くなってきた。この刑事は啓介のことを疑っているのだ。

「仲沢さんが原島公子さんに宏君の養育費としていくら払っていたか知ってますか?」

突然、質問が変わって葉月は面食らった。そんなことが事件と関係しているのだろうか。

鈴森が大仰に顔をしかめてみせた。

「月に五十万円ですよ。もちろん病気の治療にかかる費用が含まれていますがね。仲沢さんの給料の半分以上が消える計算だ。それでもあなたと暮らしている分には問題ない。あなたにも一人前の稼ぎがあるわけですからね。それに見たところ贅沢な暮らしを望むほうでもなさそうだ」

「何が言いたいんですか」

「実はね、ご主人が若い女と頻繁に会っているという証言があるんですよ」

鈴森は色の悪い唇をなめた。

「相当派手な女らしい。たとえばの話ですけどね、仲沢さんがあなたと別れてその女と暮らそうと思ったら、月五十万円の養育費っていうのは負担だろうなと思ってね」

葉月は思わず立ち上がった。怒りで体が震え出してくる。冗談ではない。啓介がそんなことをするはずがない。そのぐらいのことは分かる。だが、本当に啓介を信じていいものか。彼は公子とあっさり別れた。もう一度同じことをするのに、ためらう理由などあるだろうか。胃のあたりが鈍く痛み始めた。

不安を振り払うように、きつい調子で葉月は言った。

「いいかげんにしてください」

鈴森は鼻で笑うと、上着の内ポケットから財布を取り出した。テレフォンカードやクレジットカードの合間から角が丸くなった名刺をつまみ出し、投げ出すようにテーブルに置いた。

「譬《たと》え話をしただけなんですから。そんなに怒らんでくださいよ。仲沢さんが帰ってきたら、すぐに連絡を入れるように伝えてもらえませんか」

若い刑事が葉月に向かって小さく会釈をした。顔には幼さが残っており、小型犬を思わせるつぶらな瞳《ひとみ》をしていた。彼も年を取れば、鈴森のようになってしまうのだろうか。

話は終わった、というように鈴森は両膝をぴしゃりと叩くと腰をあげた。

「あの……。新聞には千葉のほうであった誘拐事件との関連性を調べていると書いてありましたけど」

「確かにそういう見方もありますよ。しかし、広く可能性を拾い上げるのが我々の仕事だ」

鈴森はゆっくりと立ち上がると、葉月に向かって右手を軽くあげてみせた。鈴森が歩き出すと、若い刑事も慌てたようにその後に続いた。

玄関先まで見送る気にはなれなかった。ドアが開く音がした。そして勢いよく閉まる音。葉月はさっきまで鈴森が坐っていたソファに腰を下ろすと、背もたれにぐったりと身体をあずけた。


玄関を出ると、鈴森は相方の刑事に声をかけた。

「川本、お前はどう思う？　あの奥さん、何かを隠しているような気がするんだが」

川本は首をかしげた。

「さあ、僕にはどうも」

鈴森は舌打ちをした。最近の若いものは、自分の意見というものを持っていない。勘というものも、ないに等しいのだろう。しかし自分には確信がある。仲沢は何か事件と関係している。そうとしか考えられない。自分の息子が殺されたら、親は警察に頭を下げて犯人の逮捕を依頼するものだ。それなのに仲沢はこっちを避けるようにしている。葬式の後に声をかけたときも、顔を背けるようにして急いでいるからと立ち去った。あの態度は普通の親のものではない。動向を徹底的にマークしておかなかったのは大きなミスだった。まさか葬式の翌日に姿を消すほど露骨なことをするとは思わなかったのだ。それではまるで自分が怪しいと告白するようなものだ。今更そんなことを言っても始まらないのだが。

車に乗り込むとき、初めて川本が口を開いた。

「鈴森部長、今のちょっとまずくないですか。女の話とか、養育費のことだとか……。プライベートなことは喋《しゃべ》っちゃいけないんじゃないですか」

「ふん。そんなきれいごとを言ってるやつは、ろくに仕事ができないもんだ」

「それにしても奥さんが気の毒だなあ。彼女は事件と関係ないんだろうから」

鈴森は乱暴にエンジンをかけた。

「そんなことを気にしてられるか。だいたいなんなんだ、あの夫婦は。亭主の居場所をカミさんがまったく知らないだなんてどうかしている」

「いまどきのインテリはそんなものじゃないですか」

「けっ」

鈴森は車をスタートさせた。

仲沢の職場の人間に話を聞いてみようと思った。特に移植がらみの話を重点的に聞くのだ。そのへんがどうも気になる。知識がないだけに、何か騙《だま》されているような気がする。鈴森の刑事としての勘だった。子供が一人殺された。犯人は必ず挙げなければならない。鈴森はアクセルを踏み込み、スピードを上げた。

研究所につくと控え室の前で葉月は深呼吸をした。

啓介が嘘をついていた。しかも姿を消してしまった。それを認めるのは、つらかった。そうはいってても携帯電話には何度かけても出ないし、第一外科の医局にも姿を見せていないという。念のために青森の実家にも電話をかけてみたが、啓介の父親は葬式の夜に啓介と別れて一人で青森へ戻ったと話していた。

いてもたってもいられなくなって公子の家のチャイムを押したが、インターフォン越しに啓介はいないと言われた。

啓介の行き先は、ほかに思いつかなかった。警察に連絡を、とも思ったけれどそんな必要はないのだと思い当たる。鈴森たちが啓介を探しているのに、捜索願を出す必要はない。

家で啓介からの連絡を待つ気にはなれなかった。一人でいるとよくないことばかりを考えてしまう。ほかに行く場所もなかったから結局、ここへ来てしまった。

控え室のドアを開けるとミーティング用のテーブルでコーヒーカップを片手にメモ

を取っていた桜木栄子がノートから目を上げたが、葉月の顔を一瞥すると、すぐに視線をノートに戻した。

「おはよう」

葉月が声をかけると、栄子は思い出したように再び顔をあげた。

「さっき岸川先生から電話がありました。学部長室に来てほしいそうです」

「そう」

きっと事件について聞かれるのだろう。岸川にねちっこく質問されると思うと気分が滅入ってくるけれど、呼び出しを無視するわけにもいかない。それに、もしかすると岸川は啓介の居場所に心当たりがあるかもしれない。

自分のデスクの脇《わき》に鞄を置くと白衣を羽織った。ジーンズにティーシャツという格好で学部長室に行くのは、なんとなく気が引けた。

「ああ、そういえば忘れてました」

栄子は勢いよく立ち上がると自分のデスクへと向かった。

「判子、押してもらえませんか？　この間、実験用の試薬を注文したんです。伝票に仲沢さんの判子が必要だって事務の人に言われて」

引き出しを開けて水色の伝票を取り出す。その拍子に一枚の写真が床に落ちた。アメリカに留学していたころの恋人だろうか。そういえばこの前、若林が栄子の恋人は亡くなったと言っていた。写真に気付かなかったふりをしてあげたほうがいい。明るい色の髪をした外国人の男が、写真の中で笑っていた。栄子は慌てたようにそれを拾い上げると引き出しにしまった。

栄子がやや強張った表情で、伝票を差し出した。

「あとでやっとくから。私の机に置いておいて」

葉月はそういい置くと、部屋を出た。

医学部の建物の三階に学部長室はあった。分厚い木の扉をノックするとピンク色を基調にした品のいいメーキャップをした秘書が顔を出した。水沢由紀子という名だったはずだ。学内で指折りの美人秘書と言われている彼女の名前は葉月も知っていた。

「仲沢先生、学部長がお待ちかねですよ」

訓練で身に付けたような笑みを浮かべながら、由紀子はドアを大きく開けて葉月を部屋に招き入れた。

岸川はソファに坐り、ワイシャツ姿で新聞を読んでいた。老眼鏡らしい縁なしの眼鏡をかけ、鶴のような痩軀《そうく》を折り曲げるようにして紙面に見入っている。

葉月は岸川の正面のソファに腰を下ろした。岸川が大きな音をたてて新聞をたたむ。

唇が見事なへの字に曲がっている。

「仲沢君はいったいどうしたんだ？」

眼鏡をはずしながら岸川が言った。

「どうしたって、とおっしゃいますと？」

岸川は困ったように顔をしかめた。

「なんだ、知らないのか。今朝、第一外科にファクスが入ったんだよ。仲沢君が大学を辞めたいと言ってきた」

葉月はソファの肘掛けを強くつかんだ。そうしなければ、身体をまっすぐに支えられないような気がしたのだ。全身から力が抜けていく。

大学を辞めるだなんて。啓介はいったい何を考えているんだろう。そうなると、啓介がどこにいるのかがよけいに気になる。胸の中で不安が膨れ上がっていく。葉月は自分の喉のあたりを撫でた。

「正式な辞表を追って郵送するとファクスには書いてあった。いったい何を考えているんだろう。気落ちしていることは分かるが、いきなり大学を辞めるなんて正気の沙《さ》汰《た》とは思えん。君には何の相談もなかったのかね。昨夜、何か話し合ったんじゃないのか？」

岸川は仕立てのよさそうなワイシャツの袖《そで》を捲《まく》り上げた。

　葉月は視線を床に落した。

　毛足が長いベージュのカーペットに細く長い髪の毛が一本、落ちていた。それを足の爪先でなんとなく蹴ってみる。

「どうなんだ、実際のところ」

　ありのままを告げるしかないようだった。葉月は顔をあげた。

「昨夜は帰ってきませんでした。お葬式の後から一度も連絡が取れていません」

　岸川はあきれたようにソファの背もたれに寄りかかると、腕組みをして天井を見上げた。

「いったいどうなっているんだ、君たちの家庭は」

　その時、ドアをノックする音が聞えた。岸川は部屋の入り口に近いデスクに坐っている由紀子に向かって両手の指でバツ印を作ってみせた。由紀子が立ち上がりドアを細く開けた。訪問者と小声で何かを話している。ドアはすぐに閉じられた。

　葉月は爪を噛んだ。無性に煙草が吸いたかったが、目の前のテーブルに灰皿は見当たらなかった。突然、啓介が怖いと思った。あまりに隠し事が多すぎる。一緒に暮らしているのだから、彼についてたいていのことは分かっていると思っていた。それなのに自分が何も知らされていなかったことに愕然とする。啓介は宏が移植を受けたことを隠していた。そして今度は姿さえも消した。自分の知らない面が啓介にはいくつもある。

葉月はこめかみのあたりを指でもんだ。

とにかく啓介を見つけ出さなければならない。宏が殺されたことと、啓介の失踪《しっそう》とは何か関係があるのだろうか。鈴森のように啓介を疑っているわけではないけれど、何らかのつながりがあるように思えた。そして宏が移植を受けたということも気になる。啓介が姿を消した理由を見つけ出すための手がかりは、そのあたりにあるのかもしれない。

「岸川先生」

葉月は顔を上げた。

「原島宏は海外で移植を受けたんですよね。そのことと彼はどう関係していたんですか」

岸川は背もたれから身体を起こすと、脚を組みかえた。

「残念ながら移植のことは、私にもよく分からない」

「そんなはずはないでしょう。先生は第一外科の教授も兼任しているんですから」

岸川は気弱に首を振った。

「あいにく私は移植が専門ではないからね。仲沢君は私とは別に仕事をしているわけだし」

「でも、まったく知らないってことは」

「そう言われてもねえ。私も困っているんだよ。とにかく仲沢君から連絡があったら、すぐに私に知らせてほしい。私も心配しているんだよ。彼が妙なことを考えていなければいいんだが」

妙なこと……。葉月は唾を飲み込んだ。啓介が自殺でもするというのだろうか。不安がこみ上げてくる。

岸川は葉月を勇気付けるように微笑んだ。

「悪いが私はこれから霞が関へ出かけなければならない。役所の審議会に呼ばれているのでね。何か困ったことがあったら、私に言いなさい」

岸川は由紀子に声をかけた。

「仲沢先生がお帰りになる」

「先生！」

岸川は右手を顔の前でひらひらと動かした。由紀子がにこやかな笑みを浮かべて葉月の腕に手をかける。

「さあ、仲沢先生。そこまでお送りしますから」

丁寧だが、有無を言わせぬ口調だった。

今日のところは引きあげるしかないようだ。でも何があったのか調べ上げてみせる。

葉月は心にそう誓うと、由紀子に押し出されるように廊下に出た。

建物の外に出ると、強い陽射しに眩暈《めまい》を覚えた。葉月は銀杏の木陰にあるベンチに腰を下ろすと白衣を脱いだ。

宏の移植について調べてみようと思った。岸川は学部長として絶対的な力を持っている。第一外科の医局員に尋ねても、何かを聞きだせるとは思えなかったが、方法はほかにもあるはずだ。その気になれば宏が移植を受けたかどうかぐらいすぐに分かる。

公子に尋ねてみるのが手っ取り早いような気がしたが、彼女が心を開いてくれるとは思えなかった。彼女は自分を許してはいない。宏が死んだ原因を作ったと思っている自分に対して彼女が協力的な態度を取るはずがなかった。

宏が移植を受けた病院に連絡するのも簡単ではないだろう。知人でもいれば別だが……。やはりこの大学の中で手がかりを探すのが現実的な方法だ。移植を受けた後も患者は病院に通うものだ。免疫抑制剤を処方してもらったり、定期検査を受けて臓器がきちんと定着しているかどうかをチェックするのだ。移植を受けたとしたら、宏はこの病院で免疫抑制剤を投与されていたはずだ。拒絶反応を抑えるためには、一生、薬と縁を切ることはできない。原島宏がわざわざ別の病院に通う理由は見当たらなかった。

薬剤部だ。

薬剤部には免疫抑制剤の使用記録があるはずだ。それが見つかれば宏が移植を受けたという証拠になる。薬剤部になら知り合いがいないわけではない。まずそこから始めよう。葉月は息を短く吐いて自分に気合を入れると、ベンチから立ち上がった。

救急車がけたたましいサイレンの音を撒《ま》き散らしながら、医学部の建物の隣にある病院の車寄せに滑り込んできた。玄関から白衣に身を包んだ看護師や医師が走り出してくる。救急車の後部のドアが開き、救急隊員がてきぱきとした動作で患者を乗せたストレッチャーを運び出す。その上に横たわっている患者はぴくりとも動かない。

「慌てるな！」

医師が叫ぶのが聞こえた。

ストレッチャーの脇には点滴溶液をつめたビニールバッグを高くかかげた看護師が付き添っている。彼らの邪魔にならないよう、葉月は病院の裏口へと向かった。

8

糊《のり》の効いた白衣を着た相田陽子はパソコンの画面を真剣な目つきで覗き込んでいた。きついウェーブをかけた茶色い髪とくっきりと描かれたボルドーのアイラインを見れば、誰も彼女が大学病院に勤務する事務員だとは思わないはずだ。

薬剤部の事務室に勤務する前、陽子は感染症研究所の総務部で大学内の情報ネットワークの管理を任されていた。研究所の教授たちは彼女の派手な格好に眉をひそめ、服装を改めるように彼女に迫ったが、陽子は抵抗した。彼女を援護したのは葉月だった。陽子は仕事が早くて確実だった。地味な服を着てミスをされるより、派手な服を着て着実に仕事を処理してくれるほうがよっぽどいい。

薬剤部へ異動になってからも、陽子は葉月になついていた。相談事を持ちかけられたこともある。彼女を利用するようで気がとがめるけれど、そんなことを気にしている余裕はない。啓介を見つけ出すための手がかりをどうしても見つけたかった。

宏の病気を隠されていたと思うと腹が立つけれど、本人がいなければ文句も言えない。何より啓介に会いたかった。何があったのかは知らないけれど、いつでも自分は味方だと伝えたかった。

「相田さん」

葉月が声をかけると陽子は椅子の上で小さく飛び上がった。振り向いて葉月の姿を認めると子供のように頬を膨らませた。

「びっくりさせないでくださいよ。あっ、この度はどうもご愁傷様で……」

陽子を遮ると室内を見回した。他の二人の事務員は部屋の一番奥にあるテーブルで書類を広げて作業をしている。気付かれる心配はなさそうだった。

「悪いけど、ちょっと調べてほしいことがあって」

陽子が戸惑うように、首をかしげた。

「殺された原島宏のこと。彼が免疫抑制剤を服用していたかどうかを確認してくれない？」

陽子は肩をすぼめると、上目遣いに葉月を見た。

「外部の人にデータを見せないようにって上司に言われているんですけど」

「彼、移植を受けていたんでしょう」

「さあ、その辺のところは私には」

「私も確信を持っているわけじゃない。でも、そういうふうに言う人がいるのよ」

「もしかして今回の事件と何か？」

陽子が緊張した声でささやいた。

「分からない。でもとりあえず移植を受けたかどうかを知っておく必要があるの」

葉月は声を抑えながらも、語気を強めた。

濃いルージュを引いた唇を噛んで考え込んでいた陽子が、思い切るようにうなずいた。

「仲沢さんはうちの大学の先生なんだから、部外者っていうわけでもないですよね」

濃いピンクのマニキュアを施した指先がキーボードの上で小気味よく動き始めた。

この病院では診療情報や薬剤情報を完全に電子化している。免疫抑制剤を服用している患者を検索することは、そう難しくないはずだった。

「出てきました」

小声で陽子は言うと、画面を指で差した。

シクロスポリンという代表的な免疫抑制剤を服用している患者は三人。そのうち、一人が原島宏だった。やはり宏は移植を受けたのだ。

「ありがとう」

そう言いかけて、葉月は首をひねった。画面に表示された患者の名前をもう一度見る。川久保しおん、宮脇哲史という二つの名前があった。

川久保しおん……。この珍しい名前をどこかで聞いた覚えがある。

思い出すのと同時に葉月は小さく声を上げていた。奥のテーブルにいた事務員が顔を上げる。陽子が慌てたようにパソコンの画面を切り替える。

動悸が速くなっていく。葉月はもう一度、陽子に礼を言うと逃げるように薬剤部の事務室から出た。

宮脇哲史という名は知らない。けれど川久保しおんなら知っていた。

啓介が出ていって帰ってこなかった夜、三鷹市内の火事で焼け死んだのは川久保しおんという名の少女だった。

9

横浜駅でJRから相模鉄道に乗り換えて三駅。宮脇哲史の家は、横浜市保土ヶ谷区にあった。車で来ることも考えたけれど、かえって時間がかかりそうな気がして電車を使うことにした。電車でも三鷹からはちょっとした小旅行ほどの時間がかかった。

改札口を抜けて雑貨屋や銀行が並ぶ商店街をまっすぐ北へ進む。国道を越えると道幅がとたんに狭くなり、両側に民家が目立つようになる。大きくもなく小さくもない家。都心に通うサラリーマンとその家族が住んでいることが一目で見て取れる。どの家も示し合わせたように、玄関先にプランターを飾っている。色鮮やかなひまわりやトルコ桔梗《ぎきょう》が太陽に向かって精一杯、花弁を開いていた。つぼみをしっかりと閉じ、蔓《つる》を勢いよく伸ばしている朝顔もある。

道は曲がりくねりながら次第に上り坂になってゆく。葉月は立ち止まってタオル地のハンカチで汗をぬぐうと、ジーンズのポケットからメモ用紙を取り出した。陽子に無理を言って患者の住所を調べてもらったのだ。

電信柱の住所表示を確認した。四丁目三番地。もうすぐ近くまで来ている。

道の少し先は急な階段になっていた。宮脇の家が階段の上でなければいいのに。あの階段を上ることを考えると、げんなりとした気分になる。このところ寝不足が続いているせいか、心臓が嫌なリズムを刻んでいた。陽が落ちかけているとはいえ、気温は高いし湿気も多い。これ以上、身体に負担をかけたら倒れてしまうような気がした。しかし残念ながら宮脇家はもう少し先のようだった。階段を昇り、茜《あかね》色に染まった西の空を見た。薄墨を引いたような雲が一筋たなびいている。耳をすますと窓を開け放った家々から鍋や皿が触れ合うかすかな音が聞えてくる。当たり前の生活が家の中にはあった。殺人や失踪などとは無縁の平和な暮らしがあった。一軒の家から漏れてきた子供の笑い声を聞いた瞬間、今まで抑えてきたものが一気に溢《あふ》れ出した。

　どうして自分ばかりがこんな目にあうのだろう。静かに啓介と暮らせれば、それでよかったのに。

　階段を昇ってすぐのところに宮脇の家はあった。チャイムを押すと、ポロシャツにコットンパンツという軽装の男が顔を出した。三十代の後半に見えるが、頭がすっかり禿《は》げ上がっている。宮脇哲史の父親に違いない。帰宅していたのは幸いだった。母親より父親のほうが話がしやすい。

「あの……」

　どう切り出そうかと悩みながら口ごもると、宮脇は人のよさそうな笑みを浮かべた。

「新聞ならうちは読売しか取らないんですよ。ジャイアンツファンだから」

「いえ、そうじゃなくて。少しお話をうかがえませんか」

　バッグから名刺を取り出した。宮脇は両手で名刺を受け取ると、葉月の顔を値踏みするように見た。

「東都大の先生が私になにを?」

「哲史君のことで……」

眼鏡の奥にある宮脇の細い目が、警戒するように光った。

「お願いします。時間はそんなに取らせませんから」

廊下の奥の扉が開く音がして、フリルがついた黄色いエプロンを身につけた女が出てきた。宮脇の妻らしい。哲史も帰宅しているようで、リビングルームのあたりからテレビのアニメソングが流れてくる。

「どなたなの？」

宮脇の妻が葉月と宮脇を見比べる。

「哲史のことで話を聞きたいって」

宮脇の妻が眉をひそめた。

「何を聞きたいんですか？」

「おいおい」と宮脇が妻をたしなめる。「哲史に聞こえるじゃないか。とりあえず僕の部屋にあがってもらおう」

「だけど……」

「追い返すわけにもいかんだろう。いいから君は食事の支度をしていなさい」

宮脇の妻は不満げに鼻を鳴らすと、台所のほうへと消えた。

「すみません」

葉月は宮脇に向かって頭を下げた。

「まあ、僕もあまり愉快じゃないけどね」

宮脇の部屋は二階の和室だった。ちゃぶ台と座布団が一つ。部屋の隅にはパソコンを置いたテーブルがあった。宮脇は畳にあぐらをかいて坐った。葉月に座布団を勧めたが、葉月はそれを断り、畳に直《じか》に正座した。

「それで、哲史のことというのは？」

葉月は単刀直入に切り出すことにした。

「哲史君、東都大学の付属病院に通っていますよね。彼、アメリカで移植を受けたんじゃありませんか。ピッツバーグにあるセント・チャールズ病院で」

宮脇の頬から愛想のいい笑みが消えた。唇の端が神経質に動く。

「それが何か？　日本じゃ心臓移植は受けられないから、東都大学の紹介でアメリカに行ったんですよ」

抑えた声で宮脇は言った。

「ぶしつけな質問で申し訳ないんですけど、どんな手続きを取ったのですか」

葉月は尋ねた。

みるみるうちに宮脇の目が釣り上がる。

「医学部長の岸川先生に病院を紹介してもらったんです。私の父が岸川先生とは親しかったものですから。何か、問題があるとでも言うんですか」

啓介ではなかったのか。意外な思いがした。岸川がアメリカの病院とつながりがあるという話も、聞いたことがない。第一、本人が移植は専門外だと言っていた。

「なぜ、東都大を選んだのですか？　ここからだったら横浜にある大学病院のほうが、通うのに便利だと思うんですけど。移植で有名な病院だし」

「子供たちの移植を考える会というのがありましてね。そこの集まりに出たときに、三鷹に住んでいる女の子が去年の暮れごろ、すごくスムーズにアメリカで移植を受けられたらしいという噂を聞いたんですよ。ほかのルートより早く、しかも確実にドナーを見つけてもらえるってね。女の子の名前なんかは分からなかったけど、東都大学の付属病院に通っていたことは分かった。東都大といえば岸川先生がいるところだから、頼んでみたんです。先生は二つ返事で承知してくれました」

「なるほど……」

葉月は腕を組んだ。

宮脇は葉月がさっき渡した名刺をポケットから取り出すと、それを指先でもてあそんだ。

「それであなたは何を知りたいんですか。岸川先生からなにか言われてきたんですか？　費用はきちんと振り込んだし、岸川先生にはそれなりのお礼もしたし。病院にも定期的に通っているんですけどねえ」

「費用って、数千万円はかかるんですよね」

宮脇はうなずいた。

「田舎の両親に田畑を売ってもらって工面しましたよ。八千万円ほどですがね。なにしろ哲史の命が懸かっているわけですからね。僕も心苦しかったんですが。いや、この家を手放すことも当然、考えましたよ。でもまあ、あそばせている田んぼを売ったほうがいいと親が言ってくれたもんですから。募金を募ることも考えましたけど、時間的に余裕がなかったし」

言い訳がましく言った後、はっとしたように表情をこわばらせた。

「もしかして、岸川先生が気を悪くしているんじゃあ」

「どういうことですか」

「哲史は実は心臓だけではなくて、脚も生まれつき悪いんです。関節の骨に問題があるみたいで。この際、そっちのほうも治してしまおうと思って最近、鎌倉にある別の病院へ移ることを決めたんですよ。先生には引き止められたんですが、やっぱり病院によって得意な科目は違うわけでしょう。脚の病気の権威はそっちの病院の先生なんだから、しようがないじゃありませんか。それに岸川先生には謝礼も十分に払ったし」

「はあ」

葉月は曖昧《あいまい》にうなずいた。

「それにしても、あなた、なんのためにうちの哲史のことを聞きたいんですか？　あなたのこの名刺にある感染症研究所っていうのは、移植とは関係ないでしょう」

宮脇の目に警戒するような色が浮かんでいた。

葉月は大きく息を吐き出すと、覚悟を決めた。こんな曖昧な質問のしかたをしていても埒《らち》があかない。

「お宅のお子さんが受けた臓器移植には、何か不正があったのではないですか？　ドナーが確実に見つかるなんて、そんなうまい話があるわけないですよ。それに費用があまりにも高いような気がするんです」

宮脇の顔がさっと紅潮した。

「なんてことを言うんだ、あんたは！」

「私はただ……」

「ふざけるなよ、こっちがせっかく話をしてやったのに」

宮脇は立ち上がると、葉月をにらみつけた。

「何の目的があってうちのことをかぎ回っているのかは知らないけれど、これ以上、失礼なことを言うなら、出るところに出ますよ」

葉月は一瞬、迷った。東都大学の紹介で移植を受けた二人の子供が、異常な形で命を落としている。目の前にいるこの男にそのことを告げたほうがいいのではないか。しかし、推測だけで話していいものか、判断がつかなかった。

「さあ、帰ってください」と宮脇が言う。葉月はしかたなく腰を上げた。

10

同じ通りを何度、いったりきたりしただろう。葉月は恨めしい思いで岸川の家を見上げた。電気はついている。が、岸川はまだ帰宅していない。さっきチャイムを鳴らして岸川の妻に確認したから確かだ。家の中で待たせてくれと言う勇気がなかったのだが、言えばよかった。こうやって二時間も通りをぶらつく羽目になるとは思わなかったのだ。千歳烏山の駅前まで引き返して喫茶店にでも入ろうかと思ったが、駅前までは歩いて二十分ほどかかる。その距離を往復するより、通りをぶらつくほうがましだと思ったのだが、それは間違いだった。

　そのとき、一台のハイヤーが近づいてきて門の前でぴたりと停まった。葉月は黒い車体に駆け寄った。

　ドアが開き、岸川が長身を折り曲げるようにして姿を現す。

「岸川先生」

　声をかけると、岸川は驚いたように両目を見開いた。

「どうしたんだね。私を待っていたのか？」

「ええ、ちょっと話があって」

「なんだ、それなら妻に言って家の中に入っていればよかったのに。まあいい。さあ、うちに入ろう」

　玄関に迎えに出た和服姿の妻に葉月を部下だと紹介すると、岸川は自分の書斎に葉月を招き入れた。十畳ほどの洋室で、壁には天井まで届きそうな本棚がしつらえてある。ずらりと並んだ本の背表紙に刻まれているのは、ほとんどが英文字だ。もっとも本を使い込んでいる形跡はない。

　岸川は高価そうな一枚板のデスクに落ち着くと、葉月に向かって部屋の隅にあるパイプ椅子を開いて坐るように言った。

「で、話というのは？　仲沢君の居場所が分かったのかね」

「いえ、そうじゃないんですが。先生、うちの大学、海外に子供を紹介して移植をしていますよね。何か問題が起きているんじゃないですか」

　葉月は岸川の顔をまっすぐに見つめた。岸川は眉一つ動かさない。腕組みをして無表情に見つめ返してくるだけだ。

「この前の火事で川久保しおんという子が焼け死んでいます。先生、ご存知ですよね」

「まあねえ」

「原島宏と川久保しおんは、第一外科を窓口にしてアメリカの病院で移植を受けた子供たちです。その二人が死んだというのは、変だと思いませんか」

　岸川はふうっと息を吐き出した。

「単なる偶然だ。そう思いたいよ、私は」

「そんな偶然、先生だって信じていないでしょう？　教えてください。仲沢も何か関係しているんじゃありませんか？　だから姿を消した。そう考えれば筋が通るんです」

　いつの間にか、膝の上で拳を握りしめていた。

「確かに君の言うとおり不自然なものを感じる。彼に会って話を聞きたいと思っているのに、いったいどこへ行ったんだか。こっちも気が気じゃないよ」

「だけど、先生も何かご存知なんじゃありませんか？　宮脇哲史君をアメリカの病院に紹介したのは先生だと聞きました」

「まあ私と言えば私だがね、知人に頼まれたから仲沢君に話をつないだだけだよ」

「本当ですか？」

岸川が困ったように首を横に振った。

「何故、私が嘘をつく必要がある。とにかく、私は何も知らないし、えらく迷惑しているんだよ。君、本当に彼がどこにいるのか知らないのか？　私もいろいろと手を尽くして調べてはいるんだがね。心あたりぐらいないのかね。君たち、夫婦なんだろう」

「いえ、本当に私……」

「こんなことを私も言いたくないんだが、警察も仲沢君を捜しているそうじゃないか」

「ええ」

「君のためを思ってあえてはっきりと言わせてもらうがね、下手にかばい立てはしないほうがいいぞ」

「どういう意味ですか」

「警察は彼を容疑者の一人だと考えているようじゃないか。私のところにも今日、鈴森とかいう刑事が話を聞きにきたよ。夫婦だからかばいたくなる気持ちは分からないでもない。だけど君、自分のことをもっと考えたほうがいい」

　葉月は頬がかっと熱くなるのを感じた。

「ひどすぎます、そんな言い方。先生こそ隠しているんじゃないですか。宮脇から謝礼をもらったんでしょう？　何も知らないはずがないわ」

　岸川は首をかしげた。

「心づけをいただいたことは認めるよ。でもそれは我々の常識の範囲だから問題にならない。それに謝礼のことで私を責めるのは筋違いだ。仲沢君のほうが最近は派手に謝礼を取っていたからねえ」

「えっ」

　岸川はあきれたように息を吐き出した。

「なんだ、そんなことも知らされていないのか。やっぱり君たち夫婦はどこか変だよ」

　岸川のペースに巻き込まれてはいけない。葉月は唇を噛んだ。それに啓介のことを信じなくてどうする。岸川の顔を正面から見据えた。

「移植のことを話してもらえないのなら、警察に相談します。納得ができないんです」

　岸川が薄く笑った。

「君は恐ろしいね。警察に自分の旦那を売るなんて」

葉月は言葉に詰まった。苦い思いが込み上げてくる。公子だったら決して言わないせりふだった。やっぱり自分には何かが欠けているのだろうか。人を愛し、愛されるための条件のようなものが、欠落している。それでも、真実を知りたいという気持ちを押しとどめることはできなかった。とは言っても、岸川が言うように下手に動けば啓介がさらに疑われることになる。警察の前に啓介を見つけ出し、彼の口から何が起きているのかを聞きたい。どうしても聞きたい。何かが起きていることは確かなように思えた。捨て置けば取り返しのつかない何かが……。

岸川は思案するように顎《あご》を撫でている。その表情は憎らしいほど落ち着き払っていた。この男と話し合っても、無駄なようだった。葉月は岸川に向かって頭を下げると部屋を出た。


岸川の家の門を出ると、誰かが葉月の名を呼んだ。

声のした方向を見ると、黒いハイヤーが止まっていた。さっき岸川が乗っていたものとは車種が違うようだった。後部座席の扉が開く。葉月は顔をしかめた。

渡部克二は太った体に似合わず、すばやく車から降りた。

「岸川さん、もう家に帰ってるのか」

門のあたりを親指で差して言う。

葉月がうなずくと、克二はため息をついた。

「今日も空振りか……。いったん家に入っちゃうと出てきてくれないんだよな。ところでお前は学部長に何の用だったの」

「あんたに関係ないわ」

「そう言うなよ。この間のことは反省してるよ。葬式の日に押しかけるのは、我々にとっちゃ当たり前だけど、お前に話すようなことじゃなかったよな。気を悪くして当然だよ」

葉月は思わずまじまじと克二の顔を見た。いったいどういう心境の変化だろうか。

「とりあえず車に乗れよ。家まで送ってやるから」

克二が肩に置いた手を葉月は振り払った。

「やめてよ。あんたと話したくないのよ」と強い口調で言う。

克二が驚いたように目を瞬く。

「何か俺、変なこと言ったか？」

葉月は視線を逸《そ》らした。

克二を責めてもしかたがない。彼は自分とは違う世界で仕事をしている。克二が昔のままの人柄だったら、啓介のことを何もかも打ち明けたのに。そうできたらどんなにすっきりするだろう。誘拐殺人と何か怪しげな匂いがする臓器移植。どちらも自分の手には余る。一人で立ち向かうほどの知恵はない。大学の研究者に過ぎない自分には、この広い日本で一人の人間を見つけ出す当ても術《すべ》もない。

克二が心配そうな目をして、葉月の様子をうかがっている。学生時代、実験の最中に割れた試験管で指を切った。医務室へ連れて行ってくれるとき、克二はちょうどこんな目をしていた。優しい目。頼りになる目。

葉月は唇を開きかけた。もうだめだ。一人では、どうにもできない。

その瞬間、克二の目にあのぎらつく光がよぎったような気がして、葉月は言葉を飲み込んだ。

葉月は克二に背を向けると、駅に向かって歩き始めた。

烏山の駅前からバスを乗り継いで三鷹市のマンションに戻ったときには、もうすっかり夜がふけていた。マンションのエントランスで新聞受けをのぞいていると、ふいに肩を叩かれた。

恐る恐る振り返ると、鈴森刑事が立っていた。ねずみ色の上着を腕にかけ、黒い扇子でしきりと胸元に風を送っている。鈴森の後ろにこの前も一緒だった若い刑事が申し訳なさそうな表情を浮かべて立っていた。

「どこかへお出かけでしたか。職場に伺《うかが》ったら、出かけてしまったというのでここで待っていたんですよ」

「都心の本屋に行っていたんです」

とっさに出てきた嘘は、あまり説得力があるものではなかった。冷や汗がどっと噴き出す。鈴森が言葉をそのとおりに受け取ったのかどうかは、分からなかった。表情を読み取りにくい細い目が、じっと探るように葉月の目を見詰めている。

「その後、ご主人から連絡はありませんか。裏の駐車場に車はあったようですが」

葉月は首を横に振った。

そのとき、買い物袋をぶら下げた中年の女がエントランスに入ってきた。二人の刑事と葉月を見比べ、怪訝《けげん》な表情を浮かべる。

「とりあえず、お宅にあがらせてもらえませんかね」

部屋にはむっとする熱気がこもっていた。ベランダに面した窓をあけ、空気を入れ替える。昼間と比べてずいぶん風は涼しくなっているが、相変わらず湿気が多い。

「お宅のご主人の足取りを調べているんですが、有力な手がかりがなくてね」

鈴森がソファに腰を下ろすと言った。

「家には帰ってないし、連絡もありません。話すことなんてないです」

「そうだろうと思ってましたよ。でも今日は一つ、奥さんに報告したいことがあってね。千葉県警から連絡が入ったんですよ」

千葉、というのは以前、子供が誘拐され、殺された場所だ。

「千葉の事件の犯人がさっき捕まった。当然、宏君の事件についても追及しましたよ。ですが、そいつには宏君が誘拐された日のアリバイがあった」

葉月はそっと唾を飲み込んだ。

「容疑者が一人減った、というわけですな。となると、ますます仲沢さんのことが気になる」

「実の息子を殺すほど馬鹿な人じゃないです。だいたい、この前おっしゃってた愛人は見つかったんですか？　彼女にも聞いてみてください」

鈴森は無精ひげが生えた頬のあたりを指でこすった。

「実はね、女の正体がつかめなくて困っているわけですよ。それに女のこと以外にも仲沢さんには不審な点が多々ある」

「どういうことですか」

「宏君が移植を受けたときの金をどうやって工面したかがまず気になりますねえ。奥さん、何か知りませんか」

「うちは財布を完全に別にしていますから」

「でも何千万円という金がかかるそうじゃないですか。奥さんがまったく知らないってことは考えられないんですがね。原島公子さんは、仲沢さんが全額負担したと言っていますよ」

「知らないものは知らないんです！」

警察は川久保しおんについても知っているのだろうか。知っているのだろう。岸川のところにも話を聞きに言っているのだから、それぐらいのことは調べ上げているはずだ。

背筋がうすら寒くなってくる。

火事があった夜、啓介が電話で呼び出され、どこかへ出かけていった。そのことを自分から警察に告げる気などないが、調べられたら隠しおおすことができるのだろうか。いや、問題はそういうことではない。

葉月は唇を噛《か》んだ。

怖い。心から怖いと思った。啓介が何をしたのかがまったく分からない。何を考えていたかすら分からない。

「そうかたくなに口をつぐむこともないと思いますがね。別にあんた自身を疑っているわけじゃないんだから」

鈴森は言うと、ポケットから一枚名刺を取り出し、葉月の手に握らせた。

「くどいようだが、仲沢さんから連絡があったら私に電話してくださいよ」

絶対に電話したくない。葉月は心の中でそう思った。

鈴森が葉月の目を覗《のぞ》き込む。視線は一秒も交錯しなかったが、鈴森は葉月の内心を見て取ったようだ。小鼻を膨らませると、憤慨したように鼻を鳴らした。

「それじゃあ、我々はこれで退散するとするか」

背後に立っていた若い刑事が表情を変えずにうなずく。鈴森は葉月に向かって片手を上げると立ち上がった。

簡単にシャワーを浴びると葉月はソファで考えをめぐらせた。

啓介の携帯電話には何度も電話をかけたが、スイッチが切られている。連絡を取る手立てはなかった。自分で彼を見つけ出す以外にない。

原島宏と川久保しおん。移植を受けた二人の子供が不審な死に方をした。川久保しおんの場合、殺されたのかどうかはまだ分かっていない。が、放火だとテレビでは言っていた。殺されたと考えるのが自然だろう。

二人をアメリカの病院に紹介したのが啓介であることはほぼ間違いない。その啓介が姿を消した。

啓介は何かを知っていたはずだ。二人の死と彼がどう関係しているのかは分からないけれど、何かつながりがあるはずだ。警察も啓介を追っている。自分と同じ疑いを抱いていることは明白だった。彼らもまだ真相を突き止めてはいないはずだ。もしそうならば、自分のところに話を聞きに来たりはしない。

そして岸川。彼も何か関係があるのではないか。少なくとも何も知らないはずはないように思えた。しかし岸川が何かをしゃべってくれるとは思えない。

何がどうなっているのかさっぱり分からない。が、自分がやるべきことは一つだ。

葉月は寝室へ行き、本棚から時刻表を取り出した。

啓介を誰よりも早く見つけ出すこと。それ以外に自分ができることはない。

11

青森空港から市内へと向かうバスは空いていた。シートの背もたれに身体を預けると、眠気が襲ってくる。それはそうだろう。昨夜は一睡もできなかった。とにかく啓介の行方を見つけなければならないと思い、とりあえず啓介の実家を訪ねてみることにしたのだ。ほかに当てがなかった。自分が啓介という人間をあまりに知らないという事実に今更ながら気付かされる。啓介の父親にも包み隠さず現状を打ち明けようと思った。妙な意地は捨てたほうがいい。

青森駅でタクシーに乗り換え、市内のはずれにある仲沢総合病院へと向かう。啓介の父親は診察はほかの医師に任せているが、理事長として病院の経営に当たっていた。朝、空港から電話を入れ、会う約束は取り付けてある。

理事長室に入ると、啓介の父親、仲沢大造が待ちかねていたように椅子から腰をあげた。

「葉月さん、いったいどういうことなんだ？　啓介がいないだなんて」

「私も何がなんだか……」

「私からさっき、公子さんのところにも電話をしてみたが、あっちにも行っていないようだ。二日ほど前、東京の警察から啓介がこっちに帰っていないかどうか、確認する電話があったから妙だとは思っていたんだが」

大造はでっぷりと太った身体をゆすりながら、落ち着きなく部屋を歩き回った。

「啓介さんが仕事関係の人のところに行っていないことは、警察が確認していると思うんです。彼の住所録を見て、だいたいの知人も当たってみましたが、誰も知らなくて。となると、彼の昔の友達とかそういう人のところにいる可能性があると思ったんです」

大造はうなずくと、机の引き出しから住所録を取り出した。

「啓介が使っていたものだ。さっき家のものに持って来させた」

葉月はそれを受け取るとすばやくページを繰った。多くの名前は自宅にあった啓介の住所録と共通していたが、見覚えのない名前もいくつかあるようだった。

一軒ずつ電話をかけるしかない。無駄なことかもしれない。啓介は誰にも頼らずに一人、どこかに隠れているのかもしれないのだから。それでも何かをせずにはいられなかった。部屋で待っていても、啓介が帰ってくるとは思えなかった。

「それと葉月さん、一つ妙なことがあるんだよ」

大造はソファに腰を降ろすと、身を乗り出した。

「実はね、夜勤の看護師があの事件の晩、啓介をこっちで見かけたっていうんだ」

「えっ」

「この建物の裏に古い病院がある。来月、取り壊すことになっているんだが。その建物の裏から啓介らしい男が出てきたというんだよ。見間違えたのだとは思うんだが……。このことはまだ警察にも言っていない」

どういうことだろうか。あとでその看護師に話を聞いてみたほうがいいかもしれない。

「とりあえず、この住所録に書いてある人のところに片っ端から電話をかけてみないか。──私も手伝う。前半だけコピーをとっておいたから、葉月さんはとりあえずそっちから始めてもらえんかね」

大造が言った。

葉月はうなずくと、携帯電話を取り出した。

住所録を一ページずつ繰り、一人一人に電話をかけていく。大半は啓介の学生時代の友人のようだった。彼らはほとんど家にいなかった。当たり前だ。平日の昼間に家にいるとは思えない。それでも葉月と大造は、電話をかけ続けた。

「葉月さん、外国に電話をかけるにはどうすればいいんだね」

大造が受話器を手に尋ねた。

「この三神って人は啓介の高校時代の同級生だったと思うんだが、住所がドイツになっている」

啓介がドイツにいるとは思えなかった。パスポートが自宅にあることは確認している。しかし万が一ということはある。ヨーロッパは早朝のはずだった。葉月は大造の手から住所録を受け取ると、国際電話の通話番号を押した。

「もしもし」

相手は一瞬戸惑ったようだったが、すぐに「どちらさまですか」と男の声がした。

「私、仲沢の家のものですが」

「ああ、なんだ。三神です。奥さんですか？　助かったなあ」

葉月の手に汗が滲《にじ》み出した。相手から反応があったのは初めてだった。

「仲沢君に鍵、届きましたか？　連絡が来ないので心配してたんですよ」

「鍵？」

「あれ、そのことじゃないんですか」

三神が言う。

葉月は迷ったが、三神に打ち明けることにした。

「実は仲沢が行方不明で……」

三神が息を飲む気配が受話器越しに伝わってきた。

「それで心当たりを探しているんです。その鍵っていうのは」

「一ヶ月ほど前だったかな、彼から僕の実家をしばらく借りられないかと電話がかかってきたんですよ。下北半島にあって、今はもう誰も住んでいないんですがね。一昨年同窓会で会ったときに別荘代わりに買わないかって持ちかけて断られたんですが」

そこだ！

動悸《どうき》が速くなった。大造が心配そうに葉月の表情を覗き込んでいる。葉月は大造に向かって指で丸印を作ってみせた。

「場所を教えてください」

三神が言う住所を書き留める。

「大丈夫ですか？　何か手伝えることがあったら言ってくださいよ」

三神が言う。

「とにかくそこへ行ってみます」

携帯電話のスイッチを切ると、葉月は大造に紙を見せた。

「ここにいるかもしれません。私、すぐに行ってみます」

「私も行こうか」

「いえ、とりあえず一人で」

「そうか。何か分かったら知らせてくださいよ。すぐに駆けつけるから」

　葉月はうなずくと、バッグを取り上げた。


　鈴森は仲沢啓介のマンションの扉を拳で叩いた。

「奥さん！　いるんじゃないですか」

　大声で呼びかける。

　川本が鈴森の背中に手をかけた。

「まずくありませんか？　近所の人に聞こえますよ」

「そんなこと構ってられるか！」

　鈴森の胸の中に苦い思いが込み上げる。まさかあの女までが姿を消すとは思わなかった。行き先は亭主のところだとしか思えない。

　やっぱり隠していやがった。こんなことになるなら、もっとあの女を絞るべきだった。仲沢の愛人らしい女の正体を突き止めようとやっきになっていた分、女房の監視が手薄になった。人手が足りないことは言い訳にはならない。

「くそっ」

鈴森はドアを足で蹴《け》った。

鈍い音がする。同時に痛みが爪先に走った。

「それより鈴森部長、移植の線をもう一度当たってみませんか。あの岸川っていう学部長、一癖ありそうだったじゃありませんか」

川本もたまにはいいことを言う。

「よし。行こう」

鈴森はエレベーターには乗らず、階段を駆け下りた。


青森駅から下北半島へ向かう快速電車の座席に体を沈め、葉月は窓の外を眺めていた。眼下に広がる陸奥湾は鈍色《にびいろ》だった。低く雨雲が垂れ込めた空も陰気な色をしている。

白い波頭の合間に一艘《そう》の漁船が見えた。漁を終え、青森港へと引き返しているのだろうか。漁船はかなり速いスピードで南へ向かって進んでいく。小さな船体の後には白波がハの字を描いている。

一両だけの列車は気が抜けるほどすいていた。農婦と思しき老女が数人と、大きなバックパックを床に投げ出している旅行者が一人、くたびれたジャンパーを着て旅行鞄を下げている中年の男が一人。それだけだった。一両だけの列車といっても、スピードはかなり出ているようだ。それとも軋《きし》む車体が実際以上にスピードを感じさせるのだろうか。

終点の大湊駅で降りると、タクシーを捜した。クリーム色と赤のツートンカラーのタクシーが一台だけ停まっていた。

青森駅の隅にある観光案内所で調べてもらったところ、三神の実家は半島の中心部にある薬研という集落のはずれにあるという。田名部からタクシーで行くのが一番早いルートのようだった。

タクシーに乗り込み、三神から聞いた住所を告げる。発車間際に窓の外を何気なく見ると、ジャンパー姿のさっきの男が悔しそうな表情でタクシーを見ていた。彼もタクシーを使いたかったのだろうと見当をつける。男と視線が合った。男は決まり悪そうに視線をそらすと、葉月に背を向けた。駅の待合室にあった公衆電話でタクシーを呼ぶのだろうか。小さな町のことだから、待たされるかもしれない。葉月は男が少し気の毒になった。

潮風にさらされてボンネットが赤く錆《さ》びたタクシーは、ヒバの原生林の間を走る一本道を速いスピードで走り抜けていった。途中、小型のトラックとすれ違ったが、それきり対向車はなかった。両脇から道に向かって張り出した木々の枝が、なんとなく陰気な雰囲気をかもし出している。

「お客さん、どこからかね」

運転手が尋ねる。

「東京……。こっちは初めてなんです。場所、住所だけで分かります？」

「あたしの知ってるあの建物だと思う。確かもう人は住んでいないはずだけど。お客さん、その住所間違っていないの？」

「ええ」

「ふーん、まあいいけど。それより今晩は薬研《やげん》で泊まるんですか？」

「多分ね。でもまだ決めていないから」

「せっかく来たんだから温泉、入っていきなさいよ」

「ええ」

葉月は曖昧《あいまい》にうなずいた。

湯にのんびりつかる気分には到底なれなかったが、運転手は奥薬研が千年もの歴史を持つ温泉なのだと得意げに語った。

「千年っていったらお客さん、なんと平安時代ですよ。そんな昔からこんな寒くて、なーんもないところに人が住みついていたなんてねえ、驚くじゃありませんか」

運転手は相当な話し好きのようだった。適当に相槌を打っていると、旅館らしき建物が五、六軒、立ち並ぶ集落に入った。これが薬研の温泉街らしい。タクシーは速度を緩めることなく集落を走り抜けた。すぐにうっそうとしたヒバ林に入る。どこまでこの道は続くのだろうか。そう思って不安になりかけたとき、ふいに視界が開けた。ヒバ林の一角が切り開かれている。

「ほうら、着いた。この家だと思うんですがね」

崩れかけた石造りの門の前にタクシーは停まった。葉月は門に掲げられた古い木の表札の文字を読み取ろうと目をこらした。厳しい風雪にさらされたせいか、文字はかすれていた。それでも窓を開け、注意深く見ると「神」らしい文字が書かれていることが分かった。

「ここだわ」

葉月は財布を取り出した。

門の奥には古びた木造の平屋があった。かやぶきの屋根は黒ずみ、ぴたりと閉ざされた玄関の扉は一目でそれと分かるほど歪《ゆが》んでいた。縁側に面した窓には、雨戸が引かれている。いつの頃に建てられたものかは分からないが、少なくとも戦前から建っているように思われた。

「用事がすむまで待ってましょうか？　ここからじゃあ、タクシーを呼ぶのもたいへんだろうから」

運転手が言う。

「温泉街まで歩いて戻りますから」

「かなり距離はありますよ」

少し迷ったが、運転手の言葉に従うことにした。啓介がもしいたら、そのときタクシーを返せばいい。

「じゃあちょっと行ってきますから」

息苦しくなるほどの森の匂いが葉月の全身を包んだ。天を突く剣山のように原生する樹々が吐き出す空気の中には、人の気持ちを不安にさせる何かが含まれているようだった。ひんやりとしているのに頰《ほお》を擦りぬけるとき、かすかに生暖かさを感じさせる。異界から吹いてくる風のようだ。

静かだった。風が梢を揺らす音、森に棲《す》む鳥たちの甲高い声。音がないわけではないのにひどく静かに感じる。

平屋の中からは、物音ひとつ聞えない。すりガラスの分厚い扉に手をかけて引いてみたが、まったく動かない。ガラスを拳で叩くと低くくぐもった音が響いた。耳を扉に近づけ、家の中の様子をうかがってみた。空気が動く気配すらなかった。

玄関を離れると、縁側へと向かう。閉ざされた雨戸の縁には埃《ほこり》が厚く積もっている。長い間、人が触れていないことは明らかだった。

その時、柱の影に水道があるのが目に入った。

コンクリートの流し台が濡《ぬ》れている。周囲を見回したが、庭の土は乾いてひび割れている。

胸の鼓動が高鳴りはじめた。

「啓介さん！」

呼びかけてみたが、反応はなかった。裏庭に回ると、駐車スペースがあった。地面を見やる。濡れたように黒く柔らかそうな土に、くっきりとした轍《わだち》が残っていた。

やっぱり啓介はここにいる。葉月は肩から下げた旅行鞄の紐《ひも》を強く握った。ここで待っていようか。一瞬そう思ったが、啓介がいつ戻ってくるか分からないし、戻ってこない可能性もある。一度、薬研の集落へ出たほうがいいように思えた。旅館で啓介のことを尋ねてみよう。葉月は旅行鞄を肩に掛け直すと、タクシーに戻った。嬉《うれ》しいような哀しいような、複雑な思いが胸に広がっていく。その思いを噛み締めながら、葉月は車の振動に身を任せた。

相変わらず車が通らない。温泉街に着くまで、一台のタクシーとすれ違っただけだった。

「一番大きな旅館につけてください」

葉月が言うと、運転手は威勢のいい声で返事をして、ベージュの壁の旅館の前に車をつけた。

ガラス戸を開けると、たたきになった玄関があった。その正面にカウンターがあり、紺色のお仕着せを着た女が坐っていた。白粉《おしろい》で肌を厚く塗り固めているが、その下にある肌が荒れていることは離れていても見て取ることができる。女はカウンターに頬杖をつき、唇を半開きにしながらラジオから流れる演歌に聞き入っている。肉がたっぷりとついた顎《あご》が、音楽に合わせてかすかに揺れていた。

「すみません」

声をかけると、女ははっとしたように背筋を伸ばし、一目でそれと分かる作り笑いを浮かべた。

「いらっしゃいまし」

女の言葉には、かすかに関西のなまりがあった。

「今晩、一泊お願いしたいんですが」

「お一人ですか」

女が怪訝《けげん》な顔で葉月を見た。こんな山奥の温泉旅館に一人で泊まる女など滅多にいないのだろう。面倒を起こされては困ると女が考えているのが、その表情からありありと分かった。

「ええ。ちょっとこっちで用事があるものですから。部屋、空いているんでしょう？」

葉月が言うと、女はうなずいた。

「前金になりますが」

葉月は一泊二食つきで一万四千円という料金を支払った。

部屋に鞄を置くと、葉月はすぐにフロントへと引き返した。さっきの女があきれたように葉月を見たが、そんなことに構っている余裕はなかった。ポケットから啓介の写真を取り出す。何年か前、伊豆の温泉に二人でいったときに、葉月が自分の手で撮影した写真だった。グレーのポロシャツを着た啓介は、埠頭《ふとう》の杭《くい》によりかかって眉《まゆ》を少しひそめている。二人で旅行に出たのはこの一回だけだったと思い出す。

葉月は気を取り直して写真を女の前に差し出した。

「このあたりで、この人を見掛けませんでしたか？」

懐から老眼鏡を取り出すと、女は目を細めて写真を見た。そして大きく首を縦に振った。

「さっきも、ここに来たばかりですよ。ガソリンスタンドの場所を聞かれました」

「ガソリンスタンド……」

「へえ。この集落にはそないなものありませんからなあ。大畑まで出るしかないと言ったんですが、困ったご様子だったんで、うちが保管しておるガソリンを少し分けてあげたんですよ」

「行き先について、何か言っていましたか？」

女は小さな目をしばたたき、濃いピンク色に塗った唇をすぼめた。

「失礼ですが、あんたさんは？」

「夫なんです、この人」

女の顔に痛ましげな表情が浮かんだ。哀れまれている。そう思うと頬がかっと熱くなった。慌てて頬を押さえ、自分を戒める。妙なプライドは捨てたほうがいい。そんなものはもはや意味がない。

「何か知っていることがあったら、教えてください」

　葉月は写真を女から受け取ると、女に向かって頭を下げた。

「そうですなあ。確かなことは言えんけれど、恐山ではないですかね。ここから道が通じているところといえば、大畑か恐山《おそれざん》しかないですから」

「そうですか……。あの人、最近、このあたりへ頻繁に来ているんですか」

「へえ。初めて見かけたのは、何週間か前ですわ。食料品を買う店やら、家具を買う店やらを聞かれたんですけど、この集落にはそんなものありやしません。むつまで行ってもらわんと、と私が教えたんです」

　葉月は頭をもう一度下げた。

「面倒をかけて悪いんですけど、タクシーを呼んでいただけませんか」

　女は痛ましげな視線で葉月の顔を見ると、何度も小刻みにうなずいた。

「すぐに電話します。行き先は恐山、でよろしいんですよね」

　葉月は頬が強張るのを感じながらも、しっかりとうなずいた。

「それと、彼がまたここに来たら電話をいただけませんか」

　女がカウンターの中から出してきたメモ用紙を差し出してくる。葉月はそれに携帯電話の番号を書き付けると、財布を開いた。一万円札が四枚と千円札が二枚。少し迷ったが、一万円札を取り出した。

「あの、電話代……」

女は札をちらりと盗み見ると、首を横に振った。

「そんなものはいいんですよ。それより、たいへんですなあ」

メモ用紙を受け取りながら女が言った。思いがけないほど情のこもった声だった。涙ぐみそうになるのをこらえ、葉月は女に向かって笑ってみせた。


霊場恐山はコバルト色の水を湛《たた》えた湖のほとりにあった。自然が作り出したとは、にわかには信じられない青緑色の水面が、薄曇りの空と鮮やかな対照をなしている。水面には小波《さざなみ》がたっていた。一定のリズムで波が岸辺へと打ち寄せては引く。ひんやりとした風を頬に受けながら葉月はしばらくの間、波の数を数えた。

山門の近くにある食堂や土産物屋を一巡りして啓介の姿がないことを確認すると、拝観料を支払って境内に入る。

観光地じみていた山門の外とは別世界のような静寂に包まれる。参道の奥に見える本殿は、柱も屋根もすべてが黒ずんでいた。冬の深い雪に何年もさらされた木材だけが持つ風格のある色合いは、見るものを荘厳な気持ちにさせる。足元にはまるで漂白したように白々とした砂が広がり、あたり一面に硫黄の匂いがたちこめている。

恐山には死者の霊が集まる。いにしえの人々がそう思っても不思議はない雰囲気がこの場所には確かにあった。啓介がここに来ているとしたら、それは宏の霊と会うためではないだろうか。

本殿の階段を上り、賽銭《さいせん》をあげる。葉月は両手を合わせて神妙に頭を垂れた。真剣な気持ちで神仏に祈りをささげたことはこれまでなかった。けれど今は、人知の及ばないものの力にすがりたかった。

階段を下りようとしたとき、右手にある岩場で黒い影がちらりと動くのが目に入った。見覚えのある黒いジャンパーの後ろ姿。葉月はバッグの肩紐を握り直すと、階段を駆け降りた。

白っぽい砂と岩。あの世を思わせるような殺風景な岩場のあちこちに色鮮やかな風車が突き立てられていた。風を受け、風車の羽が乾いた音をたてている。それ以上の大きな音が自分の心臓から聞えてくるような気がした。

葉月は足音を忍ばせ、背後から啓介に近づいた。

啓介は一輪の風車の前でしゃがんで頭を垂れていた。風にあおられ、風車のピンク色の羽がちぎれそうな勢いで回っている。

二人の間の距離が三メートルほどに近づいたとき、出し抜けに啓介が振り向いた。その両目が大きく見開かれる。

やっと会うことができた。ほっとする反面、やりきれなさが胸に広がってゆく。何故、こうまでしなければ会えないのだろう。一番近い他人が夫婦だと思っていた。世間的にはそれで間違いはないはずだ。それなのにこの人ときたら、果てしなく遠くなってしまった。はじめから、近かったことなどなかったのかもしれない。でもそれではあまりにも惨めすぎる。選ばれた、というのが錯覚だったなんて考えたくもないし、認めたくもない。

啓介は落ち着きなく、視線を左右に走らせた。そして、あきらめたようにゆっくり立ち上った。そのなげやりな態度《ぐろう》が、許し難いもののように思えた。いくら有能だからといって、妻をこんなにも愚弄して許されるはずがない。

「いったいどういうことなのよ！」

葉月は啓介の腕を摑《つか》んだ。啓介は動こうとしない。

「どれだけ探したと思っているのよ」

「悪かった。いろいろと訳があって……」

「冗談じゃないわ！」

啓介の面差しはすっかり変わっていた。頬はこけ、目は落ち窪《くぼ》んでいる。髪の毛に混ざる白いものも目立って増えており、唇の皮がところどころささくれ立っている。一気に五歳は老け込んでしまったように見える。葉月の怒りが急速にしぼんでいった。離れられないと思う。自分はてんで論理的じゃない。でもそれで構わないのだ。理屈など通らない世界があることが、ようやく実感として分かった気がする。

「ねえ」葉月は声の震えを抑え、切り出した。「宏君は移植を受けたんでしょう。あなたの紹介したセント・チャールズ病院で。それと彼が殺されたことはどう関係しているの」

啓介は目を伏せた。

「とりあえず、どこかで坐って話そうか」

「三神さんの家へ行きましょう。レンタカー、あるんでしょう？」

啓介がはっとしたように頬を強張らせた。

「そんなことまで知っているのか」

答える気にもなれなかった。葉月は啓介の腕を摑んだまま歩き始めた。

三神の家の中は、古い木材の匂いがした。古びている外観とは裏腹に、中はこざっぱりと片付いていた。玄関を入ってすぐ左にある座敷へ入る。蒲団が二組、部屋の隅に積み上げられていた。

畳に膝を抱えて坐ると、葉月は啓介に尋ねた。

「さあ、説明してよ。いったい何が起きているの？　勘違いしないでね。別にあなたを責めようってわけじゃない。手伝えることがあれば手伝いたいだけなんだから」

「そう言ってもなあ」

啓介は黒ずんだ柱に背をもたせかけて坐った。

「原島宏と川久保しおんが移植を受けたのは事実よね。そして二人は殺された」

啓介はうなずいた。

「あなた、事件と関係しているの？」

啓介は肯定も否定もしなかった。が、否定しないというのは肯定していることと同じだ。彼が殺したのだろうか。胸が苦しくなってきた。

たとえそうだとしても、私はこの人を助けたい。助けてみせる。葉月は強く思った。私にはそれだけの力がきっとある。たいした容姿じゃない。性格だって、ほがらか、とか明るい、とかからはほど遠い。でも今、追いつめられているこの人に必要なのは、そういうものではない。粘り強く、鉄の意志で突き進む強さが求められているはずだ。

それは自分が持っているただ一つの美点だと葉月は思った。活《い》かさない手はない。

「それで、あなたはここで何をしようと思っているの？」

啓介は逡巡《しゅんじゅん》するように目を閉じた。

「ねえ、話してよ。私は何を聞いても驚かない」

啓介は心を決めたように、目を開けると葉月を見た。

「じゃあ一つ、頼みたいことがある。いずれ頼もうと思っていたんだけど」

「何？　私は何をすればいいの？」

「去年の暮れに俺が渡した血液サンプルをまだ持っているか？」

葉月はうなずいた。

「冷凍庫に保存してあると思う。探せば出てくるわ」

「東京に戻ってそいつを分析してくれ。肝炎ウイルスを検出するための試薬があるだろう？　それを使ってウイルスを検出してみてくれ」

「どういうこと？」

「お前の目で確かめてもらってから話したい」

「何をいってるのかさっぱり分からない。健常者の血液の中にウイルスがいたからって、それがどうだっていうのよ」

啓介は口をつぐんだ。

「ちゃんと話してくれないと。警察だってあなたを捜しているんだから。のんびり実験なんてしてられないわ。ほかにやらなきゃならないこと、あるんじゃないの？」

啓介は首を横に振った。

「とにかく分析してくれ。その後で試料を処分するかどうかはお前の判断に任せる」

「だけど……」

「俺が捕まるのは時間の問題だ」

葉月の胸に痛みが走った。捕まる……。やはり啓介は何か法を犯すようなことをしてしまったのだ。それを受け入れなければならない。そして彼を助けたい。そのためには、ここで取り乱してはいけない。

「だけどその前にやらなきゃいけないことがいくつかある。血液の分析もその一つだ。証拠を残さないといけないから。俺はもう、大学に戻ることはない。だからお前に頼むしかない」

葉月は深呼吸をして気持ちを落ち着けた。

「そんなことより、移植について説明してよ。宏君たちはどうして殺されたの？」

啓介の表情が歪んだ。何かを耐えるように歯を食いしばっている。

「確かに俺がやったことはまともじゃない。だけど、息子が命を落すのをむざむざと見過ごすわけにはいかなかった。俺は医者だ。宏を助けることができるのに、それをためらう理由なんてない」

　葉月は嗚咽《おえつ》をこらえた。

「だけど、宏は死ぬことになった。しかもひどい死に方だった。全部、俺の責任だ。公子の手に遺骨を渡してやれたのがせめてもの救いだけど結局、俺はあいつを助けてやれなかった。何もできなかったことと同じだ」

　啓介は赤く充血した目で葉月をすがるように見た。

「なあ、葉月。教えてくれよ。どうして子供の臓器移植は認められていないんだ。そもそも、どうして臓器を提供してくれる人が少ないのか。俺には分からない。脳死になったら判定ミスでもない限り、生き返ったりはしない。それなのにどいつもこいつも心臓や肝臓を灰にしてしまう」

　啓介は自分の手のひらをじっと見つめた。

「俺のこの手は何のためにある？　俺は手術をうまくやってのける自信がある。心臓を提供してもらえれば、何人の命を救えたか……。耐えられなかったんだ。患者を見捨てて平然としていられるほど俺は強くない」

啓介は泣いていた。かさついた頬を涙が伝う。葉月は啓介を抱きしめようと腕を伸ばした。

「俺はお前のことを信じてる。お前なら俺のやったことの意味を分かってくれると思う。力を貸してほしいこともあるし。でも今は詳しいことを話せないし、警察に見つかるわけにもいかない」

啓介の頬がかすかに紅潮していた。訴えるような目で見つめてくる。突き抜けるような喜びがこみ上げてきた。こんな時だというのに。なんで今日までこの感覚を味わえなかったのかと、悔しい気もするけれど、そんなことはどうでもいい。

「頼む。もう少しだけ、待ってくれ。今、警察に捕まるわけにはいかない。もう一つだけ決着をつけなきゃならないことがある。それが終わったら、必ずお前に何もかも話す。それから警察に出頭するつもりだ」

「いつ？　いつになったら連絡をもらえる？」

「あと二、三日。東京で待っていてくれ。必ず電話するから」

啓介がこれほどまでに強く自分に何かを言ったことがあっただろうか。

葉月は嗚咽をこらえてうなずいた。信じよう。ここで啓介を信じなければ、彼が永遠に自分の前から姿を消してしまうような気がした。それにとりあえず、血液を分析しなければならないと思った。それを啓介が望んでいるのだから。結果が出次第、ここへまた戻ってくればいい。

啓介が安堵したように表情を緩めた。

「駅まで送るよ」

「旅館に部屋を取っているの」

「じゃあ旅館に立ち寄ろう」

啓介が腰をあげた。

12

マンションにたどり着いたのは夜になってからだった。

エレベーターを降りると、扉の脇に人影が見えた。鈴森だろうか。そう思って一瞬、体を硬くしたが、鈴森にしては小柄すぎた。人影が振り返る。

「お父さん！」

葉月は思わず声をあげた。

ボストンバッグを手にした父が、憔悴《しょうすい》した顔で微笑んだ。

「えらく遅いんだな。大学に電話してみたんだが、いないっていうから待っていた」

「とりあえず中に入ってよ」

葉月は父の背を押して部屋に入った。

ソファに腰を下ろすと、父は部屋を見回した。彼がこの部屋を訪れるのは初めてのことだった。手早く日本茶を淹《い》れると、葉月は父の隣に坐った。

「啓介さんは？」

「それが……。ちょっと出ているのよ。今日は帰らない」

父に心配をかけたくはなかった。

「お前、これからどうするんだ？　こんなことがあって大変だろう」

「仕方ないわ。なんとかやるわよ」

「まあ、しばらくはしようがないな」

父は背中を丸めて日本茶をすすった。熱かったのか唇をすぼめる。その様子はひどく老人じみて見えた。無理もない。確か今年で六十七になるのだ。

「だけどこんなことがあって、お前、啓介さんとうまくやっていけるのか。まあこっちは新聞に載っていることぐらいしか事情が分からないんだが」

「大丈夫よ」

「だけど、前の奥さん、公子さんだっけ。彼女を放っておくわけにもいかんだろう」

「それは……」

父が上目遣いで葉月を見た。

「何も無理に啓介さんと一緒にいることはないんじゃないのか」

「えっ」

「いや、なんだ。俺も最近、体の調子がよくてね。診療所を再開しようと思っているんだ」

そういえば一年程前、父が一人でやっている青山診療所をしばらく休診すると聞かされた。田舎町のちっぽけな診療所でも、一人でやっていくのは楽ではない。

「新しく超音波診断装置を入れようと思っているんだけどな」

葉月は湯飲みを置いた。

「一人で大変だろうと思うけど、大学を卒業するときにはっきりと言ったでしょう? あの町に帰る気はないって。私は大丈夫。なんとかやっていくわ」

「でもお前を見てるとなんだか痛々しくてな。お前が結婚したとき、二度と帰ってくるなって言ったよな。あれ、後悔してるんだ。すまなかったよ」

葉月は首を振った。

「もういいから。でもね、心配かけて悪いけど、帰る気はないの」

「お前、それよりあのことにこだわってるんじゃないか」

父がぼそりと言った。

「どういう意味？」

「お前、一度だけ岩手に帰ってきたじゃないか。今の大学に移る前、臨床医をやめる少し前だ。あの時、言ってたよな。自分のつまらない野心のために患者を死なせちまったから、もう患者と向き合えないって」

忘れていた記憶がよみがえる。

東都大学に移る前、葉月は別の大学に臨床医として勤務していた。医者として成功を収めてみせると意気込んでいた。そのためには、能力を磨くだけでは不十分だった。上司である担当教授の覚えをよくする必要があった。だから、教授の下した診断に疑問を持ちながらも、再検査をしなかった。自分の判断で検査をして教授に目をつけられたくはなかった。それが結果的に癌《がん》の転移を見逃すことにつながった。そして患者は苦しみながら死んだ。あの患者の顔を今でもはっきりと覚えている。

「それとこれとは関係ないわ」

かろうじて葉月は言った。

自分は確かに患者から逃げるようにして基礎研究に転じた。けれど、基礎研究が性に合っていることも事実だ。それに今、自分がやらなければならないことはほかにある。

「さあ、蒲団を敷くからもう寝てよ。疲れているんでしょう」

葉月は立ち上がると、和室につながるふすまを開けた。


深夜の大学にはひと気がなかった。父が寝入ったのを確認してから出てきたから、もう時計は二時を回っている。廊下を歩く自分の足音がひどく大きく聞えた。

今夜のうちに血液の分析を始めておきたかった。一刻も早く決着をつけて啓介のもとへ戻りたい。身体は疲れきっているのに頭は冴《さ》えていた。この分なら、実験をきちんとこなすことができそうだ。

廊下に置いてある冷凍庫を開く。家庭用の冷蔵庫とは違い、扉が上についているタイプのもので、サンプルをマイナス八十度に保つことができる。自分のネームプレートが張ってあるラックを引き出すと、その中に入っている小さなプラスチックのチューブを一つひとつ確認し始めた。確かあの時、日付と啓介の名を書いたビニールテープをチューブに張っておいた。

五十本ほどあるチューブをすべて調べた。が、目的のものは見当たらなかった。ラックを元に戻し、冷凍庫のふたを閉じる。

どういうことだろう。

あのサンプルを処分した記憶はない。誰かが持ち出したのだろうか。あと一つ、考えられることは、この建物の裏手にある全研究室共通の保管庫にサンプルを移したことだった。冷凍庫を掃除したとき、いくつかのチューブを移し変えた。そのなかにあのチューブが混ざっていたのだろうか。

あいにく保管庫は夜間、鍵がかかっていて入ることはできない。

葉月は疲れた身体を引きずるようにして、廊下を歩き始めた。

13

寝室の窓を開け放つと、熱と排気ガスを含んだ空気が入り込んできた。マンション前の通りを行き交う車の音が、やけに耳ざわりに感じられた。車の音に混じって子供がはしゃぐような声が聞えてくる。葉月は窓から階下を見下ろした。通学用の黄色い帽子をかぶった十歳ぐらいの少女が二人、赤いランドセルを並べて横断歩道を横切っているところだった。彼女たちが足を踏み出すたび、背中のランドセルが弾むように揺れる。

通学する子供を目にするのは久しぶりのことだ。そう思いかけて気付く。今日は九月一日。夏休みが終わったのだ。

九月に入ったといっても、陽射しのきつさに変りはなかった。ぎらぎらとした光線が容赦なくアスファルトに照り付けている。

胸の奥がぎゅっと締め付けられるような感覚がした。最近、習慣のようになってしまった感覚だった。同時に言いようがない寂しさがこみ上げてくる。

父はさっき、岩手へと帰っていった。ほとんど追い返すようなかたちにしてしまったのが心残りだけれど、父の気持ちを思いやる余裕はなかった。今は何より啓介のことが気になる。

啓介の父親には、啓介は三神の家にいなかったと嘘をついた。あれほどまでに強く信じてくれと言っていた啓介。彼を裏切ることはできない。それなのに、心の底では啓介の言葉を疑っている自分が歯がゆい。

研究所についたのは、十時少し前だった。

栄子のデスクには、黒いエナメルのハンドバッグが放り出してあった。真鍋はまだ来ていないようだった。

白衣を羽織ると、葉月は保管庫へと向かった。あのチューブを見つけ出さなければならない。廊下を歩いていると、背後から声をかけられた。

「仲沢先生」

振り返ると若林が立っていた。若林は途方に暮れたような表情を目に浮かべ、肩をすぼめて上目遣いに葉月の顔を見た。

「桜木さんがＰ３に閉じこもっちゃったんです」

研究室に入ったばかりの栄子がＰ３を使うような高度な実験を手がけることはないはずだった。たんぱく質の精製方法や実験動物の取り扱い方など、栄子には学んでもらわなければならないことがまだたくさんあった。

「悪いけど今、急いでるのよ」

「でも僕も部屋を使いたいんですが……。なんとかしてもらえませんか？」

細い声で若林が言う。

「分かった。ちょっと様子を見て来る」

葉月は培養皿の蓋《ふた》を閉じると立ち上がった。

Ｐ３のドアには大きな張り紙がしてあった。

「実験中　立ち入り禁止」

そういえば以前、真鍋が同じようなことをしたことがある。栄子は真鍋の真似をしたのだろうか。苦々しい思いで紙をはがすとドアを拳で強く叩いた。

「桜木さん」

もう一度ドアを叩く。試しにノブに手をかけてみたが、案の定、中から鍵がかけられている。

「ここを開けなさい」

力任せにノブを引っ張り、ドアを揺さぶる。栄子にだけ好き勝手な真似をさせる気はなかった。彼女にやる気があることは認めるけれど、研究室のほかのメンバーに迷惑をかけていいはずがない。

「開けないなら、鍵を事務室でもらってくるからね」

大声で言うと、部屋の中で椅子を引く気配がした。ひそやかな足音がドアに近づいてくる。

鍵が外れる金属的な音がして、ドアは中に向かって開いた。

白衣をきっちりと身に纏《まと》い、実験用のゴム手袋をはめた栄子が、きつい目をして立っていた。栄子の身体を押しのけるようにして、葉月はP3に足を踏み入れた。消毒用のアルコールの匂いが強くした。実験用のテーブルには試薬の瓶やピペットなど実験に使う器具が乱雑に並んでいた。テーブルの中央には木製のラックがあり、黒いゴム栓をはめた試験管が二本、立ててあった。

「なにをやっているの？」

「実験です」

栄子は視線を床に落とし、ふて腐れたように腕を組んだ。

「なんの実験をやっているのかと聞いているのよ。ここは危険な細菌やウイルスを取り扱うときに使う部屋だって教えたでしょう。あなたにはまだそんな実験をやる準備はできていない。基礎的な実験方法をまず勉強するように言ったでしょう！」

自分の声が思いがけないほどヒステリックなことに気付く。これでは逆効果になってしまう。冷静に話をしたほうがいい。

「これはなに？」

葉月はラックから試験管を取り上げると、目の前に掲げて軽く振ってみた。薄い肉色をした培養液が入っている。

「返してください」

　鋭い声で栄子が言う。

「なにをやっていたのか、説明をして」

　栄子がよく光る目で、葉月をまっすぐに見た。首を軽く振って頬にかかる髪の毛を払いかけると、栄子は視線を逸らした。苛立《いらだ》ったように舌打ちをする。

　その態度が葉月の神経を逆撫《さかな》でした。この女と冷静に話をすることなんて自分にはできない。

「いいかげんにしなさい！」

　栄子は憎らしいほどに落ち着き払っている。

「私、自分で実験のやり方を勉強したからいいんです。好きなようにやらせてください。仲沢さんに指導してもらわなくても結構ですから」

　葉月は栄子をにらみつけた。研究室の教授に相談して、栄子の処遇を考えよう。場合によっては彼女を第一外科に引き取ってもらったほうがいい。研究室全体が一人の研究生に振り回されるなんて馬鹿げている。栄子は若林だけでなくほかの学生にも迷惑をかけるかもしれない。学生たちに好意を持っているわけではないけれど、彼らが実験をして論文を書くのを手伝うのは自分の仕事だった。それにこの研究室は、真鍋というやっかいな男を抱えている。トラブルメーカーは、一人だけで十分だ。

その時、壁にかかっている電話が鳴り始めた。

栄子は電話を取る気がないようだった。恨めし気に葉月の手にある試験管を見つめているばかりだ。

葉月は試験管を左手に持ち替えると、右手を受話器に伸ばした。

「仲沢先生ですか？」

若林の声だった。

「桜木さんには、この部屋を明け渡してもらうから、あなたは実験の準備をしていればいい」

そう言いながら苛立ちがこみ上げてきた。若林も若林だ。気が弱いのは分かるけれど自分が正しいと思ったらどうして強く抗議をしないのだろう。実験の相談にならいくらでも乗る。でも、こんなことでいちいち頼られたらこっちも困る。

「いえ、そうじゃなくて」と、戸惑うように若林は言った。「外線電話が先生に入っているんです。今、回します」

電話が切り替わるときのプツンという音に続いて聞えてきたのは男の声だった。

「葉月さんか？　青森の仲沢だ」

啓介の父親だった。声が変に震えている。嫌な予感が胸をよぎった。

「さっき、こっちの警察から電話が入った」

受話器から聞えてくる声が一瞬、途切れた。心臓の鼓動が、急速に速くなる。

「啓介の遺体が下北半島で発見されたそうだ。すぐにこっちに来てくれないか」

「えっ」

頭の中に閃光《せんこう》が走った。

「二時の羽田発の飛行機を君の名前で予約しておいた。青森空港には吉岡君を迎えにやらす。覚えているだろう、うちの娘の靖子の夫だ」

葉月の手から受話器が滑り落ちた。全身から力が抜けていく。試験管を握っていることも忘れ、葉月はその場にすとんとしゃがみ込んだ。

「仲沢さん！」

栄子が駆け寄ってくると、葉月の手から試験管をもぎ取った。その拍子に栄子が足を滑らせる。試験管が割れて、中の液体が飛び散る。

「あっ」

栄子がうろたえたように叫ぶ。栄子の手首のあたりに赤い筋が走っていた。試験管の破片で切ったようだ。葉月は焦点が定まらない目で栄子の顔を見た。いつもは憎らしいほど整っている顔立ちが、恐怖に駆られたように歪んでいた。

葉月はゆっくりとした動作で立ち上がった。不思議と涙は出てこなかった。かわりに胃がきりきりと締め付けられるように痛み、吐き気が襲ってくる。

もう一度、啓介の父の言葉を頭の中で繰り返す。

啓介の遺体が見つかった——。

突然、悲しみがこみ上げてきた。押し寄せる波のように、一定のリズムで胸を押しつぶし、胃を締め上げていく。食いしばった歯の隙間《すきま》から、声にならない声が漏れる。

ふと横を見ると、栄子が蒼白な顔をして、葉月を見つめていた。

電話の声が聞えたのだろうか。

そんなことは、今はどうでもよかった。とにかく、青森へ行かなければならない。

「私、行かなくちゃ」

かろうじてそう言うと、葉月は歩き始めた。

床を踏みしめる足が、まるで自分のものではないようだ。身体が宙に浮いているようなひどく頼りない感覚だった。

青森県警からの連絡を受けた鈴森は、大きく舌打ちをした。

「畜生！」

拳で机を思い切り叩く。鈴森の机の上には、青森行きの切符が置いてあった。仲沢の女房が青森へ行っていたことを突き止めた矢先に、こんな連絡を受けるなんてよくよく自分は運に見放されている。

鈴森は唸《うな》り声に似た声をあげた。

「だけど、事件がこれで終わったわけじゃない」

声に出して言ってみる。

そうなのだ。終わるはずがないのだ。なぜなら、移植を受けた子供がもう一人いるからだ。犯人の動機がはっきりと分かったわけではない。しかし、移植を受けた子供が二人殺された。もう一人に何も起こらないという保証はない。犯人を逮捕することだけが警察の役目じゃない。

「川本、出かけるぞ」

鈴森は椅子の背に引っ掛けてあった上着を手に取った。

毎朝新聞社会部のデスク席では、渡部克二が大柄な体を前のめりにして、デスクに抗議をしていた。

「なんで俺を青森へ行かせてくれないんですか！」

唾《つば》が派手に飛んだ。煙草をくわえたデスクが顔をしかめる。

「お前、この間部長に言われたばかりだろ？　経費削減のために出張は自粛。現地の支局に任せておけばいい」

「だけど……」

「とにかく駄目だ。だいたいお前、容疑者が死んでから現地に行ってもしようがないだろうが。生きている相手に接触するためなら、取材費は惜しまないぞ」

克二は肩を落すと椅子にどっかりと腰を落した。

この勝負は負けだ。だけど今度は絶対に一人勝ちしてやる。そうでなければ腹の虫が治まらない。警察や役所が発表することを記事にすることなら、新人記者でもできる。自分が求められているのは特ダネと質の高い企画記事。そのいずれかしかない。

ふいに仲沢葉月の顔が脳裏に浮かんだ。彼女はきっと今ごろ、青森へ向かっているはずだ。どんな気持ちなのだろう。帰ってきたら話を聞かなければならないと思う。が、どんな言葉をかければいいのか、克二には分からなかった。

14

啓介の父の言葉通り、青森空港には啓介の妹の夫が迎えにきていた。吉岡という名の義弟には一度だけしか会ったことがなかったが、ゲートを出た瞬間、すぐにそれと分かった。津軽半島で代々続いた地主の息子にふさわしい鷹揚《おうよう》な風貌《ふうぼう》は、記憶の中にくっきりと刻み付けられていた。

「現地の警察署へ直接、行くようにと、お義父さんが言っていました。急ぎましょう」

事務的な口調で言うと、吉岡は葉月に向かって哀れむような視線を投げかけた。

葉月は鼻をすすりながらうなずいた。

青森空港から下北半島の付け根にあるむつ市に着くまでの時間を葉月は目を閉じて過ごした。目を開ければ、泣き出してしまいそうな気がした。

身体の芯《しん》がぐったりと重いのに頭は妙に冴え渡っていた。それが反対だったらどんなによかったことだろう。今は何も考えたくなかった。

信号で車が停まるたびに心臓の動きが速くなる。

啓介の死を実感することができない。実感したくもなかった。でもそんな子供じみた気持ちを長く持ち続けることはできない。遺体を前にすれば、嫌でも信じないわけにはいかない。

吉岡は何も語りかけてはこなかった。機械のように正確なハンドル捌《さば》きで車を走らせていく。

彼の心遣いがありがたかった。何も話したくない。慰めの言葉も聞きたくない。下手に同情をされたら、泣き喚《わめ》いてしまいそうだった。

車が停まった。ハンドブレーキを引く音。そして、吉岡の低い声が聞えた。

「葉月さん、着きました」

ゆっくりと目を開ける。

陰気なグレーの建物が眼前にあった。葉月はのろのろとした動作でドアを開けた。車の外に出ようと思うのに、身体が言うことをきかない。全身の筋肉が啓介の死を認めることを拒んでいる。

吉岡が葉月をちらっと見た。彼は車の外に出てボンネットを回り込むと、助手席のドアを開け、葉月の腕を取った。

「さあ、行きましょう」

ようやく葉月は車から這《は》い出した。

外に出ると、東京とは比べ物にならないほど涼しい風が頬に当たった。秋が訪れつつあるようだ。わずか三日前には夏の匂いが残っていたのに、今は風の中に秋の気配をはっきりと感じ取ることができる。

　葉月は空を見上げた。淡い青色の空には細長い雲が散らばっていた。胸の奥まで空気を吸いこむと、肺の中にぴりっとした刺激が走った。

「大丈夫ですか」

　小さく首を縦に振ると、葉月は唇を引き結び、建物の入り口に向かって歩き始めた。

　啓介の遺体は警察署の地下室に安置されていた。そっけないパイプベッド。その上に白い布に包まれた細長いものが横たわっている。

　係官に促され、葉月はベッドに近づいた。ナプキンほどの大きさの白い布きれに手を伸ばすと、息をつめてそれを取った。

　啓介は厳しい顔で横たわっていた。詳しいことは解剖を待たなければ分からないが、薬物中毒らしいと聞かされている。

　少し上がり気味の眉。男にしては長い睫毛《まつげ》。慣れ親しんでいた顔と同じ顔のはずなのに、別人のように見える。肌の色が黄ばんでいるせいかもしれない。学生時代に法医学の講座で遺体は死後、何時間かが経過すると肌が黄色くなると教えられたことを思い出す。そんな知識は今の自分にとって、なんの役にも立たないことが悲しい。

葉月は啓介の頬を両手で包んでみた。肉は硬く強張り、少しの暖かみも感じることはできなかった。まるでゴムの表面に触れているような感触だ。ほんのわずかに伸びた髭《ひげ》が葉月の指の腹に触れた。

床に膝をつき、もう一度、啓介の顔を見つめた。

背後で係官が小さな咳払《せきばら》いをする。

「別室でお父さんたちが待っていますよ」

その時、顎《あご》の右の関節に近い部分に剃《そ》り残した長い髭が一本あるのに気付いた。五ミリほどの長さだった。蛍光灯の光のせいか妙に黒々としている。葉月は指を伸ばしてそれをそっと撫でた。

とたんに熱いものが目の奥からにじみ出してきた。葉月は目を閉じた。こみ上げてくる感情に身を任せる。

会った頃のこと。二人で過ごした週末の夜。大学の構内ですれ違う時の困ったような、照れたような複雑な表情。さまざまな映像が脳裏に浮かんでは消えた。一つ一つの思い出を心の内で反芻《はんすう》する。

ついこの間、ようやく啓介の心をつかみ取ったような気がした。今となってはあの時の彼の言葉すら白々しく思える。勝手に死ぬなんて。乾き切った人間に、水をなみなみと注いだグラスを見せ、床に落とす。啓介のやったことはまさにそれだ。

　あなたはずるい。

　啓介に向かって語りかける。心の内の深い部分を打ち明けることなく、死んでしまうなんてひどすぎる。残される身にもなってほしかった。

　一緒に暮すということは、啓介にとってそんなに軽いことだったのだろうか。結局、人間は一人なのかもしれない。そんなことは分かっているけれど、それでは寂しすぎる。だから一緒になったのに……。啓介は知っていたのだろうか。自分がこんなにも苦しんでいたことを。だけど結局、自分だって同罪だ。啓介の抱えこんだ重いものを知ろうとして行動を起こしたのは宏のことがあってからだ。そのことがひどく悲しかった。

　焦《じ》れたような咳払いが背後で聞え、葉月は我に返った。

　白い布を啓介の顔に元どおりにかける。一枚の布きれに過ぎないのに、それは自分と啓介との間を永遠に隔てるもののように思えた。

　振り返ると係官が目でうなずいた。

「遺体は解剖させていただくことになります。ご両親の了解はいただいていますが、奥さんもよろしいですね」

有無を言わせぬ口調だった。反対する理由もなかった。

「はい」

葉月は素直にうなずくと、腰を上げた。足元がふらついていたが、ぎゅっと床を踏みしめる。

ドアを閉める前にもう一度、ベッドに横たわる啓介の身体に目をやった。自分が知っていた身体よりずいぶん小さい気がした。

係官に連れて行かれた六畳ほどの小さな部屋で啓介の父と妹が葉月を待っていた。二人の前のテーブルには、縁に青い線が入った茶碗《ちゃわん》が二つ載っている。それはすでに空になっており、内側にくっきりと染み付いた茶渋の跡が、ひどく不潔に見えた。

仲沢大造が葉月を見て目を伏せた。

「まあ、坐りなさい」

疲れをにじませた声で大造は言った。義妹は唇をぎゅっとつぐんでいた。口紅も塗っていない唇が嗚咽をこらえるように小刻みに震えている。

葉月は入り口に一番近いパイプ椅子に手をかけた。そっと椅子を引いたつもりだったのに驚くほど大きな音がした。

「さっき警察の人から説明を受けた。啓介は毒を飲んだらしい。詳しいことは解剖をしてみなければ分からないが、青酸カリのようだと言っていた」

大造が低い声で話し始めた。

「薬研温泉の近くにある民家の縁側で倒れていたそうだ。食料品の配達に来た人が今朝、遺体を発見したそうだ。三神さんの家じゃないかと思うんだが」

大造は葉月をとがめるような目で見た。何か知っていたのではないか、と問いたげな表情だ。葉月は視線を逸らした。

「自殺、なんでしょうか」

「それはこれから調べるらしい。青酸カリは大学病院なら、手に入れることはできるだろうから、自殺であっても不思議はないと言っていた」

大造は肩を落とした。

「啓介に死ななければならない理由があったんだろうか。宏君があんな形で死んでしまって気落ちしていたのは分かるが……。葉月さんは何も聞いていなかったのか」

大造がまっすぐに葉月の顔を見た。義妹も葉月の様子を横目でうかがっているのが分かる。

葉月はテーブルに視線を落とした。この二人に、なにをどう説明したらいいのか、分からなかった。宏の誘拐、啓介の失踪と死。あまりにも多くのことがこの半月ほどで起きた。一つ一つの事件は事実として理解できる。けれどもそれらがどうつながるのかは、見当がつかない。何か関係はあるはずなのに、自分には何も見えてこない。テーブルの下で両手をぎゅっと握り合せる。

「葉月さん」

大造が声をかけてくる。

「私は啓介が何故死んだのか、せめて知りたいと思っている。この前、うちの病院の看護師が古いほうの建物の裏で啓介に似た男を見かけたっていう話をしただろう。あのことはさっき警察に話しておいた。君も何か知っていることがあれば、きちんと警察に話すんだよ」

穏やかな声ではあったけれど、強い決意が大造の声にはにじんでいた。

喉《のど》の奥から、重い塊がせり上がってきた。

「葉月さん」

義妹も言う。

葉月はぎゅっと目を閉じて、頭を下げた。二人の顔をまともに見ることができなかった。

15

キャンパスにはいつしか、秋の気配が色濃く漂っていた。銀杏並木が黄金に色づくまでにはしばらく間があるが、風にはほのかな冷気が混じり始め、構内を歩く学生たちの服装は、半袖《はんそで》のシャツから長袖に変わった。薄手のカーディガンを羽織っている女学生もいる。すぐにコートが必要な季節がやってくる。

季節の変わり目などどうでもよかった。啓介が何故死んだのか、それがはっきりとするまでは、ほかのことなど考えられない。解剖によって死因は青酸カリによる中毒だと分かったけれど、そんなことが問題ではない。誰が啓介を殺したのか。知りたいのはそれだけだった。自殺説があることは知っていたが、そんなものを信じる気にはなれなかった。啓介はやり残したことがあるはずだった。三神の家で彼はそう言っていた。そんな人間が自ら死を選ぶはずがないのだ。第一、青酸カリの入手経路もいまだ特定されていない。

大学へ出てきているのは、気持ちを落ち着かせるためだけだった。実験室の窓を閉め、小指ほどの小さなプラスチックの試験管にC型肝炎のウイルスが含まれた培養液を分注する。ピペットを握り透明な液体を、十分の一ミリリットルずつ試験管に確実に注いでいく。

単純な作業に没頭していると、ほんの一瞬だけでも痛みが和らぐ。

冷徹な女だと陰口を叩かれていることは知っている。恥を知らないとも言われているだろう。

休職願を出す気はなかった。ピペットを握り、薬品の匂いをかいでいなければ、気持ちを正常に保っていられない気がした。

それでもピペットを持つ手がふと止まることがある。そんな時、決まって脳裏に浮かぶのは二週間ほど前の葬式のことだった。義父が喪主となり、青森市内の斎場で親族だけを集めて行われた式は淡々と始まり、呆気《あっけ》なく終わった。誰もが啓介の死をどう受け止めていいのか分からないようで、参列者の目には悲しみではなく困惑が浮かんでいた。あからさまに迷惑顔をしているものすらいた。不可解な死は誰の胸にもすっきりしないものを残す。

啓介の遺骨は八甲田山のふもとにある先祖代々の墓に納められた。葬式以来、一度もそこを訪れてはいない。黒く冷たい墓石に触れれば嫌でも啓介の死を実感してしまう。いつか啓介は帰ってくる。そんな妄想じみた思いを持つことを許してほしかった。

妄想が現実に変わるはずがないことは、自分が一番よく知っている。朝目覚めて隣に啓介がいないことに気付くとき、深夜に帰宅して簡単な食事を済ませた後、たった一つしかない茶碗を洗うたび、心臓と胃の中間あたりに切り裂くような痛みが走る。痛みが薄れる日が来るとは思えなかった。来てほしいとも思えなかった。

青森県警による捜査は今でも続いている。葉月も何度か事情聴取を受けた。三神に電話して薬研の家のことを知り、恐山で啓介に会ったことを隠さず話した。それ以上のことは、葉月にも分からなかった。啓介がなぜ、山深い地で暮らそうとしていたのか刑事に何度も尋ねられたが答えようがなかった。

不思議なことはもう一つあった。三神から借りたという家には真新しい生活用具と診察に使う道具一式が残されていた。蒲団や枕、椅子などはすべて二人分、揃えられていた。その意味もよく分からない。啓介はあの家に自分を呼び寄せる気だったのかとも思う。時が過ぎれば、すべてを話すと言っていたのだから。ヒバ林に囲まれた古い家。めったに人も訪れないような地。そんな場所で暮らすことに何か意味があるのだろうか。

青森県警だけでなく、警視庁も啓介の死について調べているようで三日に一度は顔を見せにくる。鈴森にも知っていることはすべて話した。しかし捜査はいっこうに進展しないようで鈴森は苛立ちをあらわにしていた。そして鈴森は啓介を誘拐殺人事件の容疑者のリストからいまだにはずしてはいない。啓介の死。そして誘拐殺人事件。二つの事件の間にどんなつながりがあるのか。

葉月はため息を漏らした。

すべてが明らかになって欲しい。でもそのとき、自分が事実を受け入れることができるのかどうかは分からない。恐ろしいことならいっそ知りたくない。そんな思いもある。

五十本の試験管にウイルス液を分注し終えると、葉月はいったん控え室に戻り、論文を書くための資料を整理することにした。

控え室では、桜木栄子が真剣な表情で英語の文献を読んでいた。自分のデスクで背を丸め、食い入るように海外の研究者の論文を見つめている。葉月が部屋に入ってきたことにも、気がつかないようだった。

最近の栄子には、鬼気迫るものがあった。自分で実験のやり方をマスターしたというのはあながち嘘でもなかったようで実験室を飛び回っていた。徹夜も頻繁にしているようで、目の下にどす黒いクマを作っていることも珍しくはなかった。

栄子とは反対に真鍋はすっかりやる気を失ってしまった。昔のように無断欠勤が目立つようになった。今日も昼を過ぎたというのに、まだ姿を見せていない。

葉月は自分の机の前に坐ると、一番下の引き出しから分厚いファイルを取り出した。この半年の実験データをまとめたものだった。この中から、必要なデータを選び出してまとめ、アメリカの科学雑誌に論文を投稿するつもりだった。

今はまだ無理だ。でもいつかは気持ちを切り替え、新しい生活に向けて足を踏み出さなければならない。平均寿命まで生きるとすれば今はまだ人生の折り返し点にさえ到達していない。嘆き悲しんで過ごすにはあまりにも長い年月が行く手にはある。

葉月は勢いをつけて引き出しを閉めた。思いのほか大きな音がした。

その音でようやく、葉月の存在に気付いたのか、栄子が顔を上げた。形のよい唇にあでやかな口紅の色はない。ファンデーションすら塗られていない。頰のあたりに薄く散ったそばかすが栄子の顔立ちを幼く見せていた。

ペンを置くと、栄子は言った。

「仲沢さん、私、来月あたりから休みをとるかもしれません」

「えっ、どうして」

「プライベートなことですから」

切り口上に栄子は言うと、葉月に背を向けた。

葉月はデータを整理する作業を始めた。論文に使えそうなデータをとりあえず選び出して、別のファイルに移し変えていく。データは数字だけではない。遺伝子サンプルを電気的に分離した結果を写し取った写真、ウイルスの顕微鏡写真なども、ファイルには混ざっていた。

そのうちの一枚を見たとき、葉月は大きなため息をついた。

去年の暮れに啓介から依頼された血液を分析したときのデータだった。結局、あれから保管庫の冷凍庫も調べたけれど、チューブは出てこない。周りの人間にも聞いてみたが、誰も心当たりはないようだった。不注意で捨ててしまったのかもしれない。そんな大事なものだとは思っていなかったのだから無理もなかった。

栄子はしばらく論文を読んでいたようだったが、白衣を羽織り控え室から出ていった。

椅子の背に身体をもたせかけたとき、研究室の扉が開いた。

立っていたのは鈴森刑事だった。

「何か分かったんですか」

葉月が言うと、鈴森はうなずいた。若い刑事を従えて部屋にずかずかと入ってくる。断りもなしに椅子に坐ると、鈴森は言った。

「今朝、青森県警で鑑定結果が出た」

「何の鑑定？」

「仲沢の実家の病院の古い焼却炉の灰の鑑定だ。分析作業がやっかいだったから時間がかかってしまったんだが……」

鈴森は葉月の顔を正面から見た。

「灰の中に人体の組織が混ざっていた。原島宏のものだとみて間違いないそうだ」

葉月は歯を食いしばった。

覚悟はできていた。

「宏君がいなくなった夜、明け方近くに仲沢らしい男を見かけたという看護師の証言もある。あんたと言い争った後、彼が家を出たのが夜の八時過ぎ。高速を飛ばせば青森まで行くのは不可能じゃない。遺灰を壺に詰めて翌日、戸山公園に出向くこともできるはずだ。仲沢のものらしい車が東北自動車道で深夜、給油をしたことも分かっている。やつが息子を手にかけたことがはっきりとした」

「焼いただけかもしれない」

「まあそうだな。だが、それより問題は動機だ」

「そして彼が殺された理由よ」

「いや、やつが犯行にかかわっていたんだ。捜査は続けるが、俺は自殺だったとしても驚かないね」

そんなはずはない。

葉月が口を開こうとしたとき、鈴森の携帯電話が鳴った。

鈴森がスーツの内ポケットから電話を引っ張り出して耳に押し当てる。

「なんだって！」

鈴森は叫んだ。若い刑事が怯《おび》えたように身体を強張《こわば》らせた。

「それをこっちにファクスで送ってくれ、大至急！」

鈴森が携帯電話を耳から離し、葉月に言う。

「おい、ここのファクス番号は？」

葉月が告げた番号を鈴森は電話に向かって繰り返すとスイッチを切った。

「どうしたんですか？」

「ちょっと待て。今ファクスが来るはずだ」

鈴森は押し黙ると、部屋の隅にあるファクスの前に歩み寄った。しばらくして電子音が鳴り、ファクスが動き始める。

葉月もファクスの前に移動した。鈴森と並んで紙が吐き出されてくるのを待つ。新聞のコピーのようだった。

「宏君事件、実父の医師の遺書発見」

「臓器売買を隠滅」

　電子音が鳴り、受信が終了する。鈴森がファクス用紙を引きちぎると、テーブルの上に置いた。

　見出しの脇に掲載されている顔写真。それは啓介のものに間違いなかった。

　葉月はむさぼるように記事を読んだ。

　――毎朝新聞社は一日、死亡した仲沢啓介・元東都大学医学部助教授の遺書を入手することに成功した。仲沢元助教授は実子でこのほど殺害された原島宏君（五歳）を米セント・チャールズ病院（ピッツバーグ）に紹介、同病院が南米の業者を通じて不正に売買した心臓の移植手術を受けさせたことを告白、同病院の臓器売買が明るみに出る前に、証拠隠滅を図るため、宏君を殺害したと書き記していた。仲沢元助教授は先月、青森県むつ市で毒物中毒により死亡している――

「畜生！　どうしてこんな記事が」

　鈴森が拳でテーブルを叩く。

「とりあえず、学部長に話を聞くべきでは？」

若い刑事が言う。

「そうだな。奥さん、また後で話を聞きにきますから」

鈴森は言うと、慌しく廊下へ出て行った。

葉月は椅子に腰を下ろした。身体がふわふわしてまるで自分のものではないようだ。

遺書？　そんなものが見つかったなんて聞いていない。啓介が宏を殺した？　そんな馬鹿なことがあるはずがない。そして臓器売買とはいったい……。

さまざまな疑問が交錯し、思考がまともに働かない。

落ち着いて。

意識的に深呼吸をしてみたけれど、動悸は速くなるばかりだ。

啓介が殺人犯だなんて信じられない。しかし目の前にある新聞は、それが真実だと伝えている。でも何か不自然な気がする。遺書というけれど、それは誰にあてたものなのか。葉月はもう一度、記事に目を通した。

記事によると、啓介は川久保しおんもセント・チャールズ病院に紹介していたという。そして、川久保家に放火したのが自分であることも告白していた。啓介は臓器売買の生きた証拠である子供を殺してしまったが罪の重さに気付き、自ら死を選んだという。何度読んでもそう書いてある。

青森支局の記者が書いた記事も掲載されていた。啓介の実家が経営している青森市内の病院の焼却炉で人骨のかけらが見つかったという。警察は原島宏の遺骨の一部とみて捜査を進めていると記事は結んでいた。

冗談じゃない！

こめかみの血管がどくどくと脈打つ。

許せない。こんな出鱈目《でたらめ》な記事を許すわけにはいかない。

臓器売買があったのかどうかは分からない。いや、恐山で啓介に会ったときのことを考えるとあったのかもしれない。是非はともかく、啓介はなんとしてでも宏を救いたがっていた。恐山で会ったとき自分がやったことはまともではないとも言っていた。臓器を買ったとしても不思議ではないし、実際にそうしたのかもしれない。そこまでは認めてもいい。しかし、啓介が子供たちを殺したという事実を受け入れることはできない。どうして啓介がそんなことをするだろうか。臓器売買の生きた証拠を始末するなんていう発想からして、あまりに荒唐無稽《こうとうむけい》だ。まともな人間が考えることとは思えない。

葉月はファクスをテーブルに投げ出すと携帯電話で克二を呼び出した。運良く克二が電話に出た。

「あの記事は何？　あんたが書いたんでしょう」

葉月は低い声で言った。

「もう見たのか……。落ち着けよ、葉月。事実を受け入れるんだ」

「ふざけないでよ。あんたの口からきちんと説明を聞きたいだけ。場合によってはあんたを訴える。あんなでっち上げの記事を書くなんて許せない」

克二が息を飲む気配が伝わってくる。

「俺の取材は間違っちゃいない。証拠もなしに記事を書くわけがないだろう」

証拠か……。確かに毎朝新聞のような大新聞がまったくの作り話を紙面に載せるはずはなかった。

「だったら説明してよ」

葉月は冷たく言い放った。

「今日の昼ごろアメリカからセント・チャールズ病院の院長が逮捕されるっていう速報が入った。そして今朝、青森支局の記者が、青森県警が病院の焼却炉で人骨を発見したって特ダネを仕入れてきた。遺書発見のスクープは岸川さんのコメントをとったうえで明日の朝刊に出すつもりだったけど、ニュースにはタイミングってものがある。お前に事情を説明したいと思ったけれどその時間もなかった。そのことは謝るよ」

「そういうことを聞いているわけじゃない。あの人が殺人だなんて、そんな馬鹿なことするはずない」

殺人、という言葉を口にしたら涙が出そうになったが、泣いている場合ではない。啓介が犯人扱いされているのを黙って見過ごすわけにはいかない。葉月は腹のあたりに力をいれ、涙を押し戻した。

「遺書を私に見せて。彼の筆跡かどうか調べるから」

克二が押し黙る。

「見せられないのは、あんたが遺書をでっちあげたからじゃないの？　あんただったらやりかねないわ。他社を出し抜くことしか考えてないんだから。そのためにだったら、なんだってやるんでしょう」

「違う！」

克二が声を荒らげた。

「遺書は本当にあったんだ。ワープロ書きだったけど」

「ワープロ書きの遺書なんて、いくらでも偽造できるじゃない。それ、どこから手に入れたのよ」

「情報提供者は明らかにできない。それが新聞の決まりだ。悪いけれど、当事者や友達にだって教えられない。でも言っておくが、信頼できる筋からもらったんだ。お前には気の毒なことだけど、記事の内容には自信を持っている」

「そんな説明で私が納得すると思うわけ？　だいたい、私あての遺書すらないのよ。変だと思わない？」

携帯電話を廊下に叩きつけたい。いや、克二の頬を思い切り張ってやりたい。

「なあ葉月……。辛い気持ちは分かるけど、これは事実なんだ」

「事実って何？　本当のことが事実なんでしょう？　だったら、あの記事は事実なんかじゃない」

「葉月！」

克二が何か叫んでいる。しかし、もうこれ以上、話をしても無駄だと思った。

葉月は通話終了ボタンを押した。電話をジーンズの尻ポケットに押し込むと、階段に向かった。

学部長室の分厚い扉をノックしようとしたとき、部屋の中から怒鳴り声が聞えた。

「いったいどういうことなんだ！　明日の朝刊だと言っていたじゃないか」

岸川の声だ。

葉月は耳をすませた。

「こっちにだって準備というものがあったのに、どうしてくれるんだ。ほかのマスコミが会見を開けと言って来ているし、警察もさっそく話を聞きにやってきた。私に話すことなどないから追い返したがね。まったくどうしてくれるんだ」

机を叩くような音がした。

葉月はドアを押して中に入った。秘書の水沢由紀子が驚いたように立ち上がったが、構わず部屋の奥にある岸川のデスクへと向かった。

デスクの前に坐っていた岸川が葉月に気付き、両目を大きく見開く。

「とにかくあんたのところの社長に抗議をするからな」

岸川は受話器を叩きつけるように戻すと、デスクの上で両手を組んで葉月をにらみつけた。

「その様子を見ると、新聞を読んだんだな」

葉月は目だけでうなずく。

「仲沢はとんでもないことをしてくれたよ。臓器売買に手を貸したあげく、子供を殺すだなんて、正気の沙汰とは思えない。飼い犬に手を噛まれるとはこのことだ。君もどうにかできなかったのか」

岸川の頬が震えている。うっすらとにじんだ額の汗をぬぐおうともしない。その様子を見ているうちに、葉月の心に冷静さが戻ってきた。今やるべきことは、怒りをぶちまけることではない。

「先生、今の電話の相手、毎朝新聞の記者なんでしょう? 記事が出ることを知っていたんですか」

岸川は腕組みをすると、椅子の背もたれに身体を預けた。

「今朝、突然、私のところに毎朝新聞から電話がかかってきた。遺書が発見されたから、それについて記事を書くと言うんだ。やつは私のコメントが欲しいと言ってきた。そんなものを出す必要はないが、私は了承した。事実関係を調査したうえで夕方までにはコメントを出すと言った」

「なぜそんなことを?」

「時間がほしかった。たとえ事実でも、そんな記事が新聞に出たらやっかい極まりない。知り合いの政治家の先生に頼んで、毎朝新聞に圧力をかけて記事をつぶすしかないと思った。記者は私がコメントを出すなら、記事は明日の朝刊にすると約束した。それなのに……」

岸川は唸った。

「まったく、なんてざまだ。突然、こんな記事が出たら大学としてどう対応したらいいか分からないじゃないか。さっきから、学長室の電話が鳴りっぱなしだそうだ。電話だけじゃない。今にマスコミの連中がここに押しかけてくる。警察にもいろいろ聞かれるだろうし」

「先生、遺書ってどこにあったんですか。今ごろになってそんなものが見つかるなんて妙だわ」

「私が知るはずないだろう。警察だって知らなかったんだから。いったい新聞社がどうやってそんなものを見つけたのか……まさか君あての遺書じゃないだろうな」

「冗談じゃありません！」

そのとき、岸川の机の上で電話が鳴った。

「はい、すぐに用意をします。会議室を使えばいいでしょうか」

ほんの一言、二言しゃべると岸川は受話器を元に戻した。

「これから学長と記者会見の打ち合わせをする。君はしばらくどこかのホテルにでも泊まりなさい。どうせ君のところにもマスコミ連中がやってくるだろう。いいか、連中に下手なことを言うんじゃないぞ。ノーコメントで押し通すんだ」

「私は……」葉月は岸川を正面から見据えた。「逃げたりしない。彼の無実を訴えるわ」

岸川が呆気に取られたように唇を開く。

「君、冗談じゃないよ！　そんなことは承服しかねる。殺人事件もそうだが、臓器売買が絡んでいるんだぞ。大学が関与していたという疑いだけは絶対に持たれてはならない。事実、私は何も知らないわけだし。こうなったからには、仲沢の独断だったということを世間に納得してもらう以外にない」

「そんな馬鹿な！　だいたい先生、あなただって臓器売買に関係してたんじゃないんですか？　宮脇哲史っていう子供……。あの子は、先生がアメリカの病院に紹介したんでしょう。あの子の親に聞きました」

「あれは……」

岸川の目が一瞬、泳いだ。しかしすぐに強い目つきで葉月をにらんだ。

「私は仲沢を信じていたからね。臓器売買をやっているなんて、夢にも思わなかった。彼の知人の移植医を紹介してもらっただけだよ。まあ、やつを信じた私に落ち度があったといわれればそれまでだが」

葉月はぐっと詰まった。

本当にそうなのだろうか。啓介がすべて仕組み、一人でやってのけたことなのだろうか。とてもそんなふうには思えない。

「さあ、もう出て行きたまえ。そしてしばらく姿を隠しているんだ。くれぐれもマスコミに余計なことをしゃべるなよ。自分の将来のことを考えたほうがいい」

岸川は節くれ立った指で葉月を指した。

「君も私も被害者なんだ。仲沢という男に騙《だま》されたんだ。あんな男をかばいだてする必要は断じてないぞ」

これでは話にならない。

葉月は岸川に背を向けると廊下に出た。

外に出ると、病院の裏のベンチに腰を下ろす。一人になると涙があふれた。暖かいものが頬を伝わり、ぽとりぽとりとジーンズをぬらす。

啓介が無関係と言い切れないことは分かっていた。啓介の死と誘拐殺人事件には何かつながりがあるはずだ。でも、少なくとも実の息子を殺したはずはない。そう考えて葉月は息を飲んだ。

逆に、殺さなかったという証拠はあるのだろうか。落ち着いて考えてみる必要があった。誰も助けてなんてくれない。納得ができる答えは自分で見つけるしかない。

臓器売買と二人の子供の死。そして啓介の死は、どう関係するのだろうか。

啓介が子供らを殺したとは思えなかった。そのうち一人は、血を分けた息子なのだ。

いくらなんでも、実の子に手をかけることができるわけがない。臓器売買が明るみに出ることの危険性を啓介が考えなかったとも思えない。事実が表ざたになる前に子供をこの世から消してしまうなどという乱暴な方法を啓介が取るはずがない。

川久保しおんとその両親を焼き殺したのが、啓介だとも思えなかった。あの夜、電話がかかってきて啓介が部屋を出ていったのは事実だが、突然、家を出て放火殺人をするというのは突飛すぎる。もし自分が放火をするとしたら……。葉月は思いを巡らせた。もっと早い時間から川久保家の周囲をうかがい、入念な準備をする。啓介だってそうするはずだ。

葉月はゆっくりと顔をあげた。手の震えを抑え、煙草に火をつけた。煙を胸の奥まで深く吸い込み、目を閉じる。

自分は啓介を信じている。記事が本当だとはとても思えない。が、本当に信じていいのだろうか。万一、啓介が殺人者だったとしたら……。自分は今度こそ、気がおかしくなってしまいそうだ。かといって、啓介に殺人者の汚名を着せ続けていいはずがない。真実を自分で見つけ出すしかない。

煙草を灰皿で丁寧に消すと、葉月は深呼吸をした。

今、自分には何ができるのだろうか。真実を知るために、何をすればいいのか。

葉月はふらつきながら立ち上がると歩き始めた。そのとき、タクシーが一台、病院の玄関へと滑り込んできた。くたびれたスーツに身を包んだ中年の男と大きなカメラを抱えた男が慌しく病院の中へ駆け込んでいく。早速、新聞社が集まってきたようだった。

黒塗りのハイヤーが一台やってきた。社旗を見て葉月は立ち上がった。毎朝新聞のライバル紙のものだった。

葉月はハイヤーに駆け寄ると、降りてきた若い記者に声をかけた。

「あの……」

記者はあからさまに迷惑そうな顔をした。

「なんですか、急いでるんですが」

「仲沢の件で来たんでしょう？　私、仲沢の妻です。お話ししたいことがあるんです」

記者が両目を大きく見開いた。

「ちょっと、ハイヤーに乗ってもらえます？」

人目をはばかるように記者は言った。

ハイヤーの後部座席に坐ると、記者は早速メモ帳を開いた。

「今回のことについて、奥様はどうお考えで？」

「そうじゃなくて」

「やっぱりショックですよねえ。ご主人が実の息子さんを手にかけたなんて。しかも臓器売買なんかをやっていたとは。あ、でも奥さんを責めているわけじゃないんですよ。正直なお気持ちを聞かせていただければ」

畳み掛けるように記者が言うのを遮った。

「だから違うんです。毎朝新聞の記事、あれは出鱈目です」

記者が呆気に取られたように口を開いた。

「いったいどうして……」

「遺書なんて私、見たことありません。それに毎朝新聞の記者に確認したら、ワープロ書きだったって。そんなものいくらでも捏造《ねつぞう》できるでしょう？」

「そ、そうなんですか？　じゃあ本物の遺書を奥さんが持っているとか」

記者が身を乗り出した。

「いいえ、そんなものはないけれど、とにかくあれは出鱈目です」

「で、捏造っていう証拠は？」

「そんなものはないけど、調査すればきっと分かるわ。私じゃ調べられないから、あなたに頼んでるのよ。調査して報道するっていうのが新聞社の仕事でしょう？」

「しかしねえ、証拠がないんじゃあ。まあおいおい、調べてはみますがね。それよりコメント、お願いしますよ。時間がないんです。もうすぐ記者会見が始まりますから行かなくちゃ。それに捏造だとかそういう話を書いて欲しいならね、うちのような新聞じゃなくて週刊誌あたりに売り込んだほうがいいですよ。新聞は証拠がない段階で記事を書いたりしないから」

葉月は怒りで顔が紅潮するのを感じた。どうして信じてくれないのか。

「もういいです」

葉月はハイヤーのドアを乱暴に押し開けた。

さっきから玄関のチャイムがひっきりなしに鳴っている。電話も数え切れないほどかかってきた。が、対応する気にはなれなかった。大学で何社かの記者に声をかけてみたのに、誰もが初めの記者と同じような反応をする。コメント、コメント、コメント！　馬鹿の一つ覚えのようにコメントを求められるのはもう嫌だった。こっちの話にはろくに耳を傾けようともしない。誰もが啓介を殺人犯だと決めてかかっている。毎朝新聞というのは、そんなに影響力があるものなのだろうか。

葉月はテレビのスイッチを切った。

ニュース番組はすべて終了した。もうテレビをつけていてもしかたがない。

各局の番組をくまなくチェックした。東都大学で開かれた記者会見の模様も放映された。画面に映った岸川は、苦りきった顔をしてセント・チャールズ病院が臓器売買を行っていたことなど、知らされていなかった、すべては仲沢啓介の独断でやったことだと語った。

そんなはずはないだろう。あんたは逃げているだけだ。

画面に向かって唾を吐きかけてやりたい。

どこの局のニュースでも宮脇哲史の名は一度も出てこなかった。きっと岸川が意識的に触れなかったのだ。

ニュース番組はセント・チャールズ病院で何が行われていたかも、事細かに説明してくれた。アメリカのメディアの情報を再加工して垂れ流しているだけだったが、事実関係を把握するのには役立つ。セント・チャールズ病院は南米で子供を攫《さら》い、臓器を摘出していた。臓器移植は臓器を摘出する側と移植を受ける側の白血球の型が似ていなければ拒絶反応が起きる。だから彼らは現地でボランティアを装って健康診断を無料で手がけ、血液を採取し、めぼしい子供を見つけ出していたのだという。

セント・チャールズ病院に入院していた子供が何らかの病気で亡くなるたび、脳死だったと届出が出され、慈善事業を装った近くの施設に収容されていた南米の子供が一人殺された。アメリカの警察当局は、脳死に陥る子供の数がセント・チャールズ病院では突出して多いことに疑問を持ち、数ヶ月前から捜査を進めてきた。そして昨日、院長の逮捕に踏み切る方針を固めたということだった。

啓介の最後の言葉を思い出す。

どうしてこの手で移植ができないのか。

啓介はそう言っていた。

移植に使える臓器を、彼が求めていたことは確かだ。非常識な方法ではあるけれど、セント・チャールズ病院は臓器を確保していた。

だけど、どこかしっくりとこない。健康な子供を殺して取り出した臓器を使って移植を手がけることを啓介は望んでいたのだろうか。そんなことはありえないと思う。臓器を提供してくれる人が少ないことに怒りを感じても、人を殺して臓器を取り出すことに賛成するはずがない。啓介の考えることぐらい自分には分かる。分かっているつもりだ。だから、何かからくりがあるはずなのに、それが見えてこない。

葉月はコーヒーを淹れるために台所へ向かった。

そのとき、携帯電話が鳴り始めた。

心臓がびくっと動く。さっきまで家の電話は何度も鳴った。どうせマスコミだろうと思って一度も受話器を取らなかった。玄関のチャイムも無視した。岸川の勧めに従うつもりはないけれど今、記者たちに何かを話す心境にはなれなかった。そんなことよりも先にやるべきことがある。

電子音は鳴り続ける。時計の針はすでに十二時を回っていた。克二だったらすぐに切ろう。そう思って液晶表示を見たが、非通知と表示されていた。仕方なく通話ボタンを押すと、女の声が聞えてきた。

「仲沢葉月さん、ですやろか」

聞いたことがある声なのに思い出せなかった。かすかな関西なまりのあるこの声。

「私、薬研の旅館で電話番号、教えてもろうたもんやけど」

ようやく思い当たった。フロントにいたあの女だ。

「夜遅くにとも思ったんやけど、いてもたってもいられんようになって」

「何かあったんですか」

「あんた……」女はささやくように言った。「あの時、誰かにつけられてたで」

「つけられていた?」

思わず聞き返した。そしてはっと思い出す。同じ駅で降りてタクシーを待っていた男がいた。あの男のことだろうか。

「実はあんたの後で、中年の男が来たんや。それで、あんたがどこへ行ったのかいろいろと聞かれて」

葉月は息を飲んだ。

「どうしてすぐに教えてくれなかったんですか？」

数秒の沈黙の後、女はぼそりと言った。

「お金をもろうてしもうたから……。でも夕刊にあんたのご亭主の遺書が出てたし、ニュースでもいろいろやってたし、なんや怖くなってきて。ご亭主が死んだときはひやひやしたけど結局、警察はうちのところには来んかった。今度はもう逃げられんような気がしてな」

「警察には？」

「まだ言うてないけど……」と、女は一瞬口ごもった。「うち、なんかの罪に問われるんやろうか。なあ、自分から警察に行ったほうがええと思う？」

「ちょっと考えさせて。また後で電話します。知らせてくれてどうもありがとうございます」

電話を切るとコーヒーを淹れた。大き目のカップになみなみと注ぐと、ソファに戻る。カップを機械的に口に運び、苦いばかりで味がさっぱりわからない液体を少しずつ飲み下す。

自分が後をつけられていた。その意味に思いをめぐらせる。相手の狙いは、はっきりとしている。啓介の居場所を突き止めること。それ以外に考えられなかった。そして、相手は警察関係者ではない。警察だったら、女に金を渡すはずがないし、啓介を見つけたら容疑者として身柄を拘束するように思えた。

カップをテーブルに置くと、目を閉じた。

一つ、確信めいたものを得ることができた。啓介は殺されたのだ。

葉月は目を開けると、カップの底に残っていたコーヒーを最後の一滴まで飲み干した。

自分をつけようと考える人物を一人、思いつくことができた。証拠はない。けれど、証拠はつかめばいい。

葉月はカップを流し台に置いた。ステンレスの流し台は蛍光灯に照らされ、鈍く光っていた。最近、ろくに手入れをしていないから、壁面には水滴の跡が白く残り、水垢《みずあか》の跡も目立つ。それでもステンレスは光っている。そういうものだ。嘘や欺瞞《ぎまん》で塗り固めても真相を完全に覆い隠すことなんかできやしない。

葉月はサイドボードに乗せてあった車の鍵を手に取った。

夜の大学はひっそりとしている。

守衛所でいったん車を停めると、胡麻塩《ごましお》頭の守衛に向かって声をかけた。今夜の夜勤が、顔なじみの男でなくてよかった。職員が自家用車に張るステッカーに視線を走らせると、守衛は門を開けてくれた。

「夜遅くにごめんなさい。実験室にちょっと用事があって」

「精が出ますなあ」

眠そうに目を瞬きながら、人のよさそうな笑顔を作る守衛に向かって軽く会釈をする。自然に、あくまで自然に。必死で自分に言い聞かせる。微笑もうとしたが、頬が強張ってうまくいかなかった。

「一時間ほどで戻りますから」

鼓動が早くなる。しかし、それを悟られるわけにはいかなかった。葉月はいつものように短くクラクションを鳴らすと、アクセルを踏み込んだ。

守衛所からかなり離れた場所まで来ると、後部座席で相田陽子が身体を起こす気配がした。

「仲沢先生……。本当に大丈夫なんでしょうね」

バックミラーで様子をうかがうと、相田陽子は身体にかけていた毛布をはずし、指で前髪を整えていた。

「まだ横になっていて。誰かに見られたらまずいから」

陽子はわざとらしくため息をつくと横になった。

「仲沢先生にはお世話になったからしようがないけど」

毛布ごしにくぐもった声が聞える。

「悪いと思ってる。でもあなたの協力がいるの」

一人暮らしの彼女のアパートを訪ね、学部長室に一緒に行ってくれるように頼んだときには協力してもらえるかどうか半信半疑だった。陽子もあからさまに嫌がった。当たり前だろう。深夜に上司の部屋に侵入するなんて、まともな事務員がすることではない。しかし、最後は折れてくれた。彼女が見かけによらず情に厚い人柄であることはわかっていた。それを利用するのは気がとがめたけれど、そんなことを言っていられる場合ではない。頼れる相手がほかにいなかった。

車を駐車場に停めると葉月は陽子を促し、通用口から建物へと入っていった。通用口の鍵は葉月も持っていた。

　夜勤のガードマンが詰めている部屋にまず寄る。学部長室の鍵を手に入れる必要があった。ガラス越しに部屋を覗き込むと、ガードマンはパイプ椅子に腰掛け、居眠りをしていた。

「うまくやってね。頼むわよ」

　葉月は階段の影に隠れている陽子に声をかけると、ガードマンに声をかけた。

「夜分にごめんなさい」

　ガードマンがはじかれたように立ち上がる。

　葉月は頭を丁寧に下げた。

「悪いんですけど、ちょっと車の調子、見てもらえませんか？　帰ろうと思ったらエンジンがかからなくて。どうしていいか分からないんです」

「それは大変ですな」

　ガードマンは疑う様子もなかった。

「どれ、ちょっと様子を見に行きましょう。こう見えても私、車には詳しいんですよ」

「助かります」

　部屋から出てきたガードマンをせかすように葉月は出口へと向かった。ちらっと背後を振り返ると、陽子が指でピースサインを作っていた。

これで鍵が手に入るだろう。学部長室の鍵がぶら下がっている場所に別の鍵をぶら下げておけば、気付かれる心配はまずない。

真っ暗な廊下に、二人の足音が響く。蛍光灯がやけに青く見えるが、それ以上に隣を歩いている陽子の頬は青白かった。いつも着ているような身体にぴたりと張り付くような服ではなく、葉月と同じようにジーンズとティーシャツという格好で化粧もうっすらとしているだけだから、顔色が悪く見えるのかもしれない。

腕時計を確認する。深夜二時を過ぎていた。研究室がある棟にはまだ人が残っている可能性がある。徹夜で実験をする研究員は、どこの研究室にも一人や二人はいるものだ。

病院にももちろん、夜勤の医師や看護婦がいるはずだ。しかし、学部長室や事務室があるこの建物にはひとけはなかった。

学部長室の前まで来ると、陽子は怯えたような目で葉月を見た。いざとなると怖気《おじけ》づくのだろう。

「さあ、早くして」

悪いとは思う。けれど今、そんなことは取るに足らないことだった。

陽子は肩をすくめると、ポケットから鍵を取り出した。

部屋に入ると陽子が電気をつけた。まぶしさに思わず目を細める。

「さっきのガードマンがきたら、岸川先生に頼まれた仕事を思い出したから出て来たって言うのよ。鍵はかかっていなかったって。私は、この部屋の明かりが点いているから不思議に思って立ち寄ったっていうことにするから」

「そんな言い訳、通じるんでしょうか」

「通じさせるしかない」

「そうですね」

陽子が諦《あきら》めたように首を振った。

「さあ早く。岸川のデスクにあるパソコンを立ち上げて。あなた、パスワードを解除する方法、知っているでしょう。電子メールの通信記録を見たいのよ」

陽子を巻き込んだ最大の理由はそこにあった。薬剤部の前にいた部署で、彼女は大学内の情報ネットワークの管理をしていた。パスワードを解除する方法を知っている。

陽子は無言でうなずくと、岸川の机の上にあるパソコンを動かし始めた。どぎついピンクに染めた爪が忙しく動き、画面が次々と切り替わる。

「これです」

陽子が言う。

葉月は陽子の手からマウスを取り上げると、電子メールの差出人を確認し始めた。岸川が臓器売買に関係している直接の証拠。それをどうしても見つけ出したかった。セント・チャールズ病院と電子メールをやり取りしていれば証拠になる。岸川は英語が得意ではない。連絡には電話ではなく電子メールを使っていたはずだ。

葉月の手のひらに汗がにじんできた。ジーンズの尻ポケットでそれをぐいとぬぐうと、作業を続ける。

臓器売買の主犯は岸川だ。葉月はそう考えていた。葉月の後をつけさせ、啓介の居場所を突き止めた。そして彼を殺した。彼が直接手を下したのではなく、誰かに命じて殺させたのだろう。金で人を雇ったのかもしれない。岸川は政治家と懇意にしているぐらいだから、裏社会の人間を知っていても驚かない。病院の実力者のもとには、実にさまざまな人が集まるものだ。

遺書の偽造も岸川の仕業だろう。セント・チャールズ病院が摘発されても、遺書を新聞社に流し、臓器売買と誘拐殺人の罪を啓介にかぶせれば、岸川の被害は最小限で抑えられる。岸川はそうやって自分の身を守ろうとしているのだ。

すべてが推測に過ぎないことは分かっているけれど、悪くない推理だと思う。少なくとも啓介が子供たちを殺して、その罪悪感から自殺したなどという馬鹿げた筋書きよりはましだ。

電子メールの半分ほどは海外からのものだったが、セント・チャールズ病院からのものは一通もない。

岸川は無関係なのだろうか。彼が主張するように被害者なのだろうか。

焦りがこみ上げてくる。

そのとき、妙なタイトルが目にとまった。

早急に対策が必要。

本文はなかった。差出人を確認する。アメリカからではあるようだけど、セント・チャールズ病院からではなかった。通信文はなかった。奇妙なメールだ。何か胡散《うさん》臭いものを感じる。

差出人をもう一度見て、葉月は手をとめた。ゼノファーマ社。アメリカにある会社のようだった。どこかで聞いた覚えがある名前だ。調べてみたほうがいいかもしれない。葉月は会社の名を頭に刻み付けた。

結局、その一通以外に目ぼしいメールを見つけることはできなかった。

「仲沢先生……。もうそろそろ出たほうがいいんじゃないですか？」

心配そうに陽子が言う。

「もう少し調べたいの。悪いけど付き合って」

頬を膨らませて陽子が抗議したが、葉月はそれを無視した。パソコンの電源を落とすと、岸川のデスクの引き出しに手をかけた。鍵がかかっている。陽子の顔を見たが、彼女は首を横に振った。鍵はもっていないようだ。

ほかにどこか、調べたほうがいいところはないだろうか。

葉月は部屋をぐるりと見回した。

そのとき、背後でドアが開く音がした。陽子が小さく悲鳴をあげる。葉月も顔から血の気が引いていくのが分かった。が、すぐに気を取り直す。落ち着くことだ。そしてさっき打ち合わせたとおりの芝居をすればいい。

部屋に入ってきた人物を見て、葉月は息を飲んだ。頭の中で疑問が渦を巻く。白衣に身を包み、不安げな目つきをして立っていたのは桜木栄子だった。

「桜木さん！　いったいこんな夜中にどうしたの？」

栄子は頬にかかる髪を指で払いのけた。いつものように顎《あご》を振り上げたりはせず、怯えたように目を数回、瞬く。

「仲沢さんこそ、何をやってるんですか？」

「私は……」

そのとき、陽子が口を開いた。

「すみません、お騒がせしてしまって。私、岸川先生に明日の朝、渡すはずの書類をそろえておくのを忘れてしまって出てきたんです。電気がついているのを見て、葉月先生がこの部屋の様子を見にきてくれたんです」

少しぎこちないが、しっかりとした口調で陽子は言った。

上出来だ。葉月は心の中で拍手をした。度胸が据わっている。もっとも、彼女にとっても失態は絶対に許されないはずだった。

葉月は無理に笑顔を作った。

「そういうわけ。私、家にいても落ち着かなくて学校に来てみたの。それよりあなたは？」

「私も……。岸川先生に話があって」

「こんな夜中に？」

栄子が視線をそらす。白衣のボタンを意味もなく探っている彼女の指先が震えているのを葉月は見逃さなかった。

「桜木さん、あなた何か知っているの？」

「何のことですか？」

栄子がまっすぐに葉月の顔を見た。冷静を装ってはいる。けれど、目の前にいるのは自信と矜持《きょうじ》にあふれている栄子とは別人のように、怯えきった女だった。

これまで考えてみたことはなかったが、思い返せば彼女が研究室に現れたときから事件が動き出した。偶然かもしれないけれど、タイミングが合いすぎる。それに……。

葉月は相手に悟られないよう、そっと唾を飲み込んだ。

栄子はピッツバーグ大学に留学していたはずだ。セント・チャールズ病院がある街ではないか。今まで疑問を感じなかったことが不思議なぐらいだ。

かちゃりと音をたてて何かがつながった。それが何かは分からないけれど確かにつながった。葉月は一歩、足を前に踏み出した。

そのとき、陽子が口を開いた。

「あの、そろそろ私、引きあげますけど」

その瞬間、栄子が身体を翻《ひるがえ》して廊下へ走り出た。

「桜木さん！　待って！」

葉月も走り出す。ドアを出ようとした瞬間、葉月の目の前に紺色の制服を着た男が立ちはだかった。勢い余って彼の厚い胸に頭から突っ込んだ。体のバランスが崩れる。

葉月は慌ててドアの縁を摑んだ。

「痛てっ」

男が顔をしかめる。さっきのガードマンだった。

「すみません……」

「仲沢先生、帰ったんじゃなかったんですか？　それに今、出て行ったのは？　エレベーターから降りたら彼女が反対方向にすごい勢いで走っていった。いったいなんの騒ぎですかね」

ガードマンはあきれたように言った。

「あの……」

言葉に詰まっていると、にこやかな笑みを浮かべた陽子が部屋から出てきた。

「お騒がせしてごめんなさい。私のせいなんです」

陽子は両手を前でそろえ、丁寧なしぐさで腰を折った。ガードマンに向かって、さっきの作り話を繰り返した。

「本当にそそっかしくて、嫌になっちゃうわ。すみませんけど、このこと、岸川先生には内緒にしておいてくださいね。しかられてしまいますから」

甘えるような口調で陽子が言うと、ガードマンは相好《そうごう》を崩した。

「そりゃあもう！　任せてくださいよ」

「助かるわぁ」

陽子は両手を胸の前で組み、首をかしげてみせた。なかなか魅力的な表情だった。

「悪いんですけどタクシー、呼んでもらえますか？　もうそろそろ引き上げなくちゃ」

「はいっ、ただいま」

ガードマンがあたふたと廊下を走り出す。

葉月は大きく息を吐くと、陽子を見た。彼女の顔から、さっきまでのにこやかな笑みは消えていた。

「これでいいでしょう？　もう私、疲れちゃいました。帰っていいですよね」

「うん、ありがとう」

陽子は岸川のデスクに歩み寄り、マウスの位置をさりげなく直すと、部屋の明かりを消した。

感染症研究所の控え室には、誰もいなかった。もしかしたら桜木栄子が待っているのではないかと思ったのだが、彼女の机はきれいに片づけられ、鞄の類《たぐい》も見当たらなかった。

彼女は何か事件と関係があるのだろうか。明日にでも確かめたほうがいい。だが、その前にやるべきことがあった。ゼノファーマ社について調べることだ。葉月は自分のパソコンのスイッチを入れると、インターネットの検索画面を立ち上げた。

ゼノファーマと入力すると、すぐにヒットがあった。所在地はメリーランド州。ワシントンDC郊外にあるロックビルという街だった。バイオベンチャー企業が集積している地域だ。画面を切り替え、ゼノファーマの事業内容を調べる。

画面に表示された説明文の中で、真っ先に目についたのは、遺伝子組み換え動物という言葉だった。遺伝子組み換え動物についてあまり知識はないが多少のことなら分かる。

葉月は画面の説明を読み始めた。

ゼノファーマが得意としているのは、組み換え動物を使った医薬品の生産のようだった。たとえばC型肝炎の治療に使うインターフェロンのようなたんぱく質を組成する医薬品を動物の体内で作らせ、乳汁などに分泌させるのだ。その仕組みはさほど複雑ではない。動物の受精卵にインターフェロンを作り出す遺伝子を組み込み、成長させる。たったそれだけで、乳汁の中に医薬品を分泌するヤギが誕生する。あとは乳を搾《しぼ》り、その中に含まれる医薬品を精製すればいい。解説によると、ヤギを使って大量生産したインターフェロンはヨーロッパで臨床試験中だという。

画面を切り替え、現在開発中の技術についての解説を読み始める。

と同時に、葉月は小さく声をあげた。

異種移植用の動物の開発。画面にはそう書いてあった。

異種移植とは確か、人間の臓器の代わりに豚の臓器を移植する治療法ではなかったか。やはり遺伝子組み換え技術を使って豚の免疫系に細工を施し、人間に移植しても拒絶反応が現れないようにするのだ。

心臓の動きがみるみる速くなるのが自分で分かる。もしかすると自分は真実を探り当てようとしているのかもしれない！

ゼノファーマは異種移植に使う豚を試作したようだが、臨床試験をやったとは一言も書いていなかった。臨床試験の予定すらないようだった。

そうはいっても、岸川はこの会社と何らかの関係がある。早急に対策が必要、というあの電子メールも、何か不穏なものを感じさせる。

岸川とゼノファーマはいったい何をやったのか。あるいはやろうとしていたのか。そこに事件のなぞを解く鍵があるように思えた。

葉月は熱を帯びた頰を両手で押さえた。

もう少し。あと少しで啓介が何を考えていたのかが分かるかもしれない。怖いけれど自分はそれを知らなくてはならない。

勢いよく息を吐き出すと、葉月はパソコンの電源を切った。

16

陽射しが窓から差し込んでいる。葉月はソファから身を起こすと、窓から外を見た。研究所の前にある駐車場、そして校門からまっすぐに伸びる道が見える。ステッキをついた初老の男が一人、ゆったりとした足取りでバス停へと歩いて行く。男は立ち止まって腰を伸ばすと天を仰いだ。

ほんの少しだけ昼寝をするつもりだったのが、すっかり寝入ってしまった。

デスクの電話の受話器を取り上げ、内線で学部長室を呼び出す。水沢由紀子がひどく無愛想な声で、岸川から今日は大学に来ないと連絡があったと告げる。岸川の自宅にも電話をかけてみたが、電話に出た岸川の妻は、岸川は自宅には戻らないと言った。今夜もホテルに泊まるということだが、ホテルの名はわからないという。

都内のホテルに片っ端から電話をかけてみようかとも思ったが、すぐに考え直す。マスコミを避けるためにホテルに部屋を取った岸川が、本名を使っているとは思えない。本名で泊まっているにしても、ホテルの従業員に電話を取り次がないよう、言い含めてあるにちがいない。しかし、永遠に逃げられるはずがない。いずれ、彼を捕まえることができるはずだ。もう少しの辛抱だと、葉月は自分に向かって言い聞かせた。桜木栄子も、まだ顔を見せない。今晩にでも彼女の自宅に行ってみた方がいいだろう。

再び窓に寄り、駐車場を見下ろす。岸川の車が停まっていないかどうか確認しておこうと思ったのだ。階下を見下ろし、葉月は眉をひそめた。小太りの男が猛スピードで走ってくる。男の顔ははっきりとしないが、体型ですぐに分かった。それは真鍋だった。何をそんなに慌てているのか知らないが、真鍋は体を激しく揺らしながら研究所の玄関に駆け込む。

葉月は席に戻ると、パソコンのスイッチを入れた。異種移植について、もう少し詳しいことを調べてみようと思ったのだ。検索サイトを立ち上げ、キーワードを入力していく。

その時、大きな音がしてドアが開いた。

振り返ると真鍋が立っていた。深い皺《しわ》が刻まれた額から汗を滴らせ、肩を激しく上下させている。グレーのポロシャツも汗に濡れ、胸元あたりの色が変わっている。眼鏡も白く曇っていた。

真鍋は後ろ手でドアを閉めると、鍵をかけた。落ち着きがない視線で、控え室を見回す。

「今、ここにいるのは、あんただけだな」

「そうだけど……」

口を開きかけた葉月を真鍋は目で遮ると、手近にあった椅子を引き寄せ、どっかりと腰を下ろした。

「いいか」と、太い指で真鍋は葉月をまっすぐに指差した。「これからあんたにやってもらわなきゃならないことがある」

真鍋の様子には尋常でないものが感じ取れた。葉月はノートパソコンを閉じた。

「宮脇哲史を殺すんだ」

低い声だったが、きっぱりと真鍋は言った。

意味が一瞬、理解できなかった。

真鍋が苛立ったように舌を鳴らす。

「宮脇哲史を放置すれば、取り返しがつかないことになる」

「どういうことですか？」

「詳しいことを今、説明している暇はない。あの子の体には、ＨＩＶよりも厄介なウイルスが潜んでいる。だから殺せと言ってる。すでに人が死んでいる。セント・チャールズ病院で彼らの執刀をした医者だ」

「ウイルスっていったい……」

葉月は机の角を強くつかんだ。真鍋の顔を正面から見つめる。ぎょろりとした目は、血走ってはいるが、嘘や冗談を言っているようには見えなかった。

「仲沢はとんでもないことをやらかしてくれた。あいつは、日本で移植を待っている子供をアメリカに送り込んで、異種移植を受けさせた」

葉月は唾を飲み込んだ。

「もしかして、ゼノファーマって会社のことですか？」

真鍋は眉をひそめ探るように葉月を見たが、すぐに大きくうなずいた。

「知っているなら話が早い。今回の事件はな、ゼノファーマとセント・チャールズ病院が仕組んだことが発端になっている。ゼノファーマは拒絶反応が出ないように遺伝子を細工した豚の臓器を開発した。それを使って、移植をやってのけたのが、セント・チャールズ病院だ。そして仲沢は、日本で移植を受けられなくて死を待つしかない子供たちを病院に紹介した。原島宏もその一人だ」

　喉の奥から重い塊がせり上がってきた。目眩《めまい》がしてくる。まさかという気持ちがある一方で、やはりそうだったと妙に納得できるものを感じた。

「でも異種移植は実験段階の医療でしょう。そんなものが受けられるはずが……」

「実験台なんだ！」

　真鍋が苛立たしげに言う。

「川久保しおん、原島宏、そして宮脇哲史が、人体実験の犠牲になったんだ。昨日ニュースがさんざん流れていただろう？　セント・チャールズ病院は、南米の子供から臓器を取り出して患者に売りつけていた。子供を生かすためには、金を惜しまないというのが親ってもんだ。法外な収入を得ていたことだろうよ。ところが最近、当局が動き始めた。やつら調子に乗って派手にやりすぎたんだな。で、戦略を転換した」

「それが異種移植っていうことなのね」

「その通り」

　葉月は生唾を飲みこんだ。喉がからからに渇いている。真鍋はなにかに取り付かれたようにしゃべり続ける。

「異種移植なら、豚さえ飼っておけば臓器が不足する心配はない。そしてゼノファーマは移植用の豚をすでに開発している」

「でも、臨床試験はまだでしょう？　ネットにはそう書いてあった」

「だがな、目の前に移植を受けなきゃ確実に死ぬ子供がいる。そして豚の臓器はある。子供の親は法外な金を出してもいいと言っている。臨床試験が始まるめどはついていない。仮にすぐに始めたとしても、試験が終わって新しい治療法として承認されるまでには、下手すりゃ二、三年はかかるし、いったん承認されちまえば、やつらにとって商売としてのうまみはなくなる」

葉月の心の中で、わだかまっていた疑問が一つ解けた。啓介が言っていた許されないこととは、異種移植のことだった。ようやく分かった。葉月は体が震え出してくるのを感じた。

確かに臨床試験を経ずに異種移植をすることは許されることではない。しかし自分の子供を救う手立てがほかになかったとしたら……。啓介は一線を踏み越えずにはいられなかったのだ。

「でも、それとウイルスがどう関係するの。なんで宮脇哲史を殺さないといけないの？」

真鍋は大きな目をぎょろりと動かし、鼻を鳴らした。わざとらしく首を振ってため息をつく。

「あんた、それでもウイルス研究者か？　子供らが移植された心臓には、豚にしかいないウイルスが巣くってたんだ。悪いことに、そのウイルスにとって、人間の腎臓《じんぞう》が増殖に適した環境だった。移植を受けた子供たちは、免疫抑制剤を服用し続ける。免疫抑制剤っていうやつは腎臓にダメージを与えるから、ウイルスの格好の餌食《えじき》となった」

「そのウイルス、感染力はどうなの？」

「潜伏期間には、血液や体液が触れない限り感染の危険はない」

「だったら何も殺さなくても。入院させて治療法を探せばいい。そんなウイルスならいくらでもあるでしょう」

「ふん、人の話を最後まで聞けよ。感染の危険がないのは、潜伏期間だけだ。いったん発病すると、皮膚に水疱《すいほう》ができ始める。水疱が破れれば、ウイルスが空気中にばら撒《ま》かれる。しかもこのウイルスは、いったん感染すると助からないんだよ。だから絶対に感染させちゃいかんのだ。仲沢はウイルスを検出する試薬として肝炎ウイルス用の抗体が使えることだけは突き止めた。ウイルス表面のたんぱく質が運良く似ていたんだな。不幸中の幸いと言える。少なくとも感染の有無だけは判定できるってわけだ」

真鍋は立ち上がると、自分の机に向かい、引き出しからノートを取り出した。素早くページを繰る。

「これだ」

細かな字でびっしりとデータが書き込まれたページを開くと、真鍋は葉月に向かってノートを突き出した。

「右の欄がＨＩＶ。真ん中がＢ型肝炎。左が問題のウイルスだ。俺はここのところ、こいつをずっと調べていたんだ。仲沢から川久保しおんと原島宏の血液を分けてもらって分析してみた」

真鍋は角がすりきれて丸くなったノートを葉月に渡した。いつかこの部屋でテーブルに広げていたものだと見当をつける。葉月はすばやくノートを繰り、細かな字でびっしりと書き込まれたデータに視線を走らせた。

「これは……」

葉月は頰が引きつるのを感じた。感染力を示す数値は、ＨＩＶやＢ型肝炎ウイルスの十倍程度だった。弱くはないが、特別強いわけでもない。それより問題は、現在知られている薬剤を加えても一向に増殖力が衰えないことだった。感染したら治療法がないということを意味する。

「インターフェロンも念のため、使ってみたよ。効果はゼロ。手の施しようがない。しかも、このデータを見てみろよ」

真鍋が指差す部分を見て、葉月は頭を抱えたくなった。変異のスピードがＨＩＶとくらべ、桁違《けたちが》いに速い。同じ性質を持つウイルスでありながら、遺伝子を自ら変異させ、姿を次々と変えていくのだ。ＨＩＶを抑える薬の開発が難航したのは、ＨＩＶの遺伝子がどんどん変異するからだ。一つの薬を作っても、すぐに効かなくなってしまう。今回のウイルスは、変異のスピードがさらに速く、増殖能力も高い。最も相手にしたくないタイプのウイルスだと言えた。

葉月はノートを閉じた。

「それで、このウイルスが身体に入るとどうなるの？」

「問題はそこだ。このウイルスは、腎臓の細胞に取り付いて増殖する。これが潜伏期間だ。発症期に入るとウイルスは血液に乗って全身を巡回する。免疫細胞を破壊して、人を確実に死に至らしめる。そして最後に皮膚に水疱を生じさせるんだ。感染してから発病するまでの時間は、数ヶ月ってところらしい。川久保しおんがそれを証明してくれた。彼女は水疱ができていた。水疱の中にウイルスがわんさかといることが分かった時の衝撃はなんともいえなかったね。移植を受けたのは去年の秋ごろだ。そして去年の暮れに、免疫不全の傾向が出始めた。仲沢は初めは免疫抑制剤の副作用だと思って、あまり気にしていなかったようだがね。六月ごろになって、どうにもおかしいというので、セント・チャールズ病院に彼女の血液サンプルを送ったところ、奇妙なウイルスがいるらしいと分かったんだ」

「本当に豚のウイルスが人間に感染するの？　ウイルスは宿主を選ぶわ。別の原因があるってことは考えられない？」

「そんなことは分かっている。だけど、現実に感染しているんだからしようがないだろう。俺の考えでは、遺伝子組み換えのときに、何か問題が発生したんだ。異種移植をするときには、豚の遺伝子を人間の免疫細胞に認識されないように細工する。その時に、この豚の遺伝子のどこかが変わっちまってウイルスに影響を与えた。だから人間にも感染する能力を身につけたんだと思う」

　そんなことが、起こり得るのだろうか。確かに遺伝子組み換え実験では、たまに予期しないことが起きる。動物より植物のほうが、組み換え技術は進んでいるが、植物ですら、導入しようとした遺伝子ではない別の遺伝子が組み込まれてしまうケースが、実際に起きている。遺伝子組み換え食品を食べたくないという消費者団体の運動が盛り上がっているのも、こうした予期せぬ組み換えが発生することを危惧《きぐ》しているからだ。

　真鍋の表情をもう一度、うかがう。真鍋はあくまでも真剣だった。そもそも、こんなだいそれた嘘をつく必要が真鍋にあるとは思えなかった。

「あんた知らないか？　異種移植の基礎技術が開発されたのはもう何年も前のことだ。それなのに実用化までにこんなに時間がかかっているのは、未知のウイルスが混入している可能性を否定しきれないからなんだ。アメリカでは科学者の側から臨床試験を見合わせようっていう提案が出た。今思うと、やつらはもしかしたらこのウイルスの存在を知っていたのかもしれない」

「まさか、そんなことは」

「まあそんなことはどうでもいい。問題はこのウイルスの感染を絶対に防ぐ必要があるっていうことだ」

　葉月は真鍋の顔を正面から見た。もう一つ知りたいことがあった。答えを聞くのが怖い。でも聞かなければならない。葉月は喉の奥から言葉を押し出した。

「真鍋さん教えて。誰が子供たちを殺したの？」

　真鍋は一瞬、目を伏せた。両手で膝をきつく握り、身体を硬くしている。

「あの人なの？」

　啓介が殺人者だとは考えたくない。それでも疑いを持たずにはいられなかった。啓介は証拠隠滅のために子供を殺すような人間ではない。それは断言できる。でも、もし自分が殺人ウイルスを生み出してしまったとしたら……。

　葉月は天井を仰いだ。

　自ら責任を取り、決着をつけるべきだと啓介は考えるかもしれない。啓介がウイルスを野放しにするとは思えなかった。

　真鍋は葉月の問いかけに対し、肯定も否定もしなかった。言えない、ということなのだろうか。胃のあたりに鈍い痛みが広がっていく。真鍋は気を取り直したように、自分の太股《ふともも》をぴしゃっと手のひらで叩いた。

「さあ、とにかく分かっただろう？　感染を防ぐには、殺す以外に方法がない。宮脇哲史もそろそろ発症期に入るはずだ。そうなったら終わりなんだよ」

「でもやっぱり変よ。誘拐や放火に見せかけて殺すなんて。きちんと公表してできるだけ治療をして……」

「まだそんな甘いことを言う！　いいか、ウイルスの存在を知られてはいけないんだ。でなきゃパニックになる。なにせ近年まれに見るほどの殺人ウイルスなんだからな。

生物兵器に使おうとするやつが出てくるかもしれない。それに、異種移植っていう技術も永遠に封印されかねない。お前の亭主もそのことを心配していたぞ」

「あっ」

葉月は小さく叫んだ。確かにそれは考えられることだった。いったん危険だと烙印《らくいん》を押されれば、その技術が再び日の目を見るまでには途方もなく長い年月がかかる。かつて心臓移植がそうだった。北海道の一人の医師が自らの判断で心臓移植を決行した。その結果、日本では脳死臓器移植が法で認められるまでに時間がかかってしまったのだ。その間、何人もの患者が移植を熱望しながら、それを受けることはかなわず亡くなった。

「なっ、分かるだろう。ウイルスを除くことができればあるいは豚の種類を変えれば異種移植はうまくいくかもしれないんだ。それをむざむざつぶす必要はない。だからまったく別の事件に見せかけて子供たちを殺すことが必要だったんだ。火事もまあ、うまくいった。家族まで巻き込んでしまったけれど、連中は感染していた可能性があるからむしろよかった。誘拐事件はかなりうまくいった。遺骨を返してやる理由ができたからな。ちょうど似たような事件が千葉のほうであったから、目くらましのためにも都合がよかった」

そういうことだったのか。

葉月は戸山公園であの壺を見つけたときのことを思い出した。確かに、遺骨がまったくないよりは、あったほうがましだったのかもしれない。残酷な形ではあっても、母親の手元に遺骨を返してやりたいという啓介の気持ちは、分からないでもなかった。

「だけど、もうそんな余裕はない。警察が移植について、調べている。警察の力を甘く見過ぎていたのかもしれない」

「何度も言うようだけど、殺す必要はないと思う。ウイルスの存在を知っていれば、感染を防ぐことだってできるもの」

「甘すぎる！」と真鍋は声を荒らげた。「ウイルスを研究しているんだったら、それぐらいのことは分かるだろう。それとも、お前は能無しか？　感情に溺《おぼ》れる馬鹿な女なのか？　宮脇哲史は、どうせあと少しの命だ。だったら、感染が広がる前に、殺したほうがいいに決まっている」

葉月は目眩を覚えた。目を閉じ、両手で頭を抱える。

豚からの臓器移植、殺人ウイルスの混入……。にわかには信じることができない。そのとき、ふと気になった。真鍋はなぜ、啓介の尻拭《しりぬぐ》いをするのだろう。ウイルスの感染を食い止めるという使命感だけで人を殺そうと思えるわけがない。

「真鍋さんは、誰からこのことを聞いたんですか。真鍋さんには責任、ないことでしょう」

真鍋はぎょっとしたように身体を反らせ、すぐに視線を逸《そ》らした。

「何かほかに裏があるんじゃないですか。理詰めで殺人ができるとは思えないのよ。少なくとも私には……」

真鍋は深いため息をつくと、視線を床に落としたまま、さっきまでとは打って変わったぼそぼそとした声で話し始めた。

「異種移植とウイルスのことは、岸川先生から聞いた」

やはりそうだったのだ。葉月は拳を握り締めた。岸川はすべてを知っていたのだ。

「岸川先生に相談を持ちかけられたんだ。仲沢が異種移植に手を出してやっかいなことになったから助けてくれないかといわれた。俺にとっては、償いのチャンスだとも言われた」

「償い？」

「ああ。あんたも知っているだろう？　俺は昔、第一外科にいたんだ」真鍋は遠くを見るような目つきをした。「もう十年も前のことだ。俺、小学生の女の子の手術をしたんだよ。心臓の弁にちょこちょこっと手を加えるだけで、難しい手術じゃなかった。

それなのに、俺はミスをした」

　真鍋の声が震えた。

「手がすべったんだ。いや、それは言い訳だな。俺が未熟だった。血管をつなぎ合せるとき、心臓の別の部分に傷をつけちまった」

「その子は……」

「亡くなったよ。俺は子供の両親に謝るべきだった。だけど、怖かったんだ。手術のミスとはいえ、人を一人殺したことに変わりはない。事故が明るみに出たら、新聞沙汰になったら、俺は医者としてやっていけなくなる」

　真鍋は硬い表情で続けた。

「岸川先生は俺をかばってくれた。患者の親御さんにも容態が急変したと説明してくれた。そして、俺には基礎研究に転向しろと言った。メスを握る資格はないけど、罪は償わなければならないと言った。そのために、基礎研究に全力で打ち込めってさ。患者に事実を明かして謝っても医療裁判になれば、病院側は全力で証拠を隠滅する。俺が証言をしようとしたら、俺や俺の家族にまで、圧力をかけてくると岸川先生は言った。そうやって病院は、事故をもみ消してきたんだからな。結局、患者の側が泣き寝入りをするだけで、なんの償いにもなりはしない。それよりは、人の役にたつ研究をすべきだと言うんだ」

「それは違う！」

　葉月は真鍋の言葉を遮った。病院側、ではない。岸川が圧力をかけるのだ。彼の経歴を輝かしいものにしておくためには、部下の医療ミスはあってはならないことだ。そんなことがどうして分からないのか。

「まあ、聞けよ。俺はこの研究室に移って来てからウイルスの研究に没頭した。何人もの患者を治療する道を作れば、俺の罪が少しは軽くなるような気がした。だけどあんたも知っている通り、俺には実験ってやつは向いてなかった。成果なんて出やしない。ここ何年かはあきらめていた。そんなときに、岸川先生から異種移植と殺人ウイルスの話を聞いた。岸川先生はチャンスだと言った」

「チャンス？」

「そう。俺が罪を償うチャンスだ。殺人ウイルスの感染を防ぐってことは、実に大きな意味がある。俺は一人の少女を殺した。だけど、何人もの人を感染から救えば、俺は償いができる」

「だから違うんだってば！　あなた、岸川に操られているのよ」

「いや、違わない。宮脇哲史を放置することはできない。あの子は来週、脚の手術を受けることになっている。執刀医が感染する危険がある」真鍋はいまいましそうに首を振った。「それなのに俺はさっき、へまをやらかした。というか、警察がすでに宮脇哲史をガードしていたんだ。通学路で待ち伏せをしていて、いざ彼を車に連れ込もうとしたら、塀の陰から刑事が走り出してきた。あのへん、坂が入り組んでいるだろう？　なんとか走って逃げてきたけれど、車を置いてきてしまった。俺のことを探し出すのは難しいことじゃない。そろそろ警察が俺の家に行っているころじゃないかな。大学に問い合わせがあるかもしれない」

「ウイルスの存在を公表したら、手術も見送られる。うちの大学、ううん、日本中の医者が総力をあげて治療に取り組めばもしかしたら……」

「冗談じゃない。水疱が破裂したらどうする。俺ははっきりと見たぞ。宮脇哲史の顔には水疱の兆候があった。あれが膨らんで破裂するのは時間の問題だ。新しい犠牲者を出すより、どうせ死ぬやつに早めに死んでもらうほうが理に適《かな》う」

「それが岸川の考えってわけね。目を覚ましてよ、真鍋さん！　岸川は自分の経歴に傷をつけたくないから、そんなことを言ってるのよ。私……。まだはっきりとしたことは言えないけど、仲沢を殺したのは岸川だと思ってる」

真鍋がぎょっとしたように両目を見開いた。

「だいたいあの遺書、変だと思わない？　あいつが異種移植について、まったく知らなかったはずなんてない。仲沢が始めたことだったとしてもあの男はそれを容認したんだから責任がある。それに宮脇哲史はあいつが自らセント・チャールズ病院に紹介したのよ。法外な金を取ってね」

「そうかもしれない」と真鍋はつぶやいた。「だが、今の俺にとっちゃ、そんなことはどうだっていい。俺はウイルスの蔓延《まんえん》を防いで償いをする。ただそれだけだ。そして、あんたにも協力してもらう」

「罪のない子供を殺すなんて……。治療を放棄して患者を殺すなんて、許されるわけがない」

「いや。あんたはやるしかない。女のあんたなら、警戒されにくいしな」

真鍋は葉月の腕をつかんだ。太く節くれだった指が、二の腕に食い込んだ。

「それに、あんたにも責任はある」

葉月は真鍋の顔をまじまじと見た。責任……。夫のしでかしたことに対する責任という意味だろうか。

「あんたがウイルスの混入を見落とした」低い声で真鍋は言った。「仲沢は今年の初めに、あんたに川久保しおんの血液を調べるよう依頼した。アメリカに検体を送る前のことだ。冬頃から、川久保しおんの容態に何か妙なものを感じていたからあいつはまず、あんたに解析を依頼した。やつだって素人じゃない。ウイルス感染の危険性が異種移植にはあるということを認識していた。あんた実験をした覚えがあるだろう？学会用のデータだなんてちゃちな嘘をついてあんたに依頼した仲沢にも問題はあるけど、あんたのデータ解析も甘かったんじゃないか」

葉月の頰からさっと血の気が引いていった。

「データを焼き付けた写真を俺は仲沢に見せてもらった。問題のウイルスの存在を示すバンドがかすかに映っていた。あれを見逃したのはあんたの責任だ。見逃したと言うより、データをいいように加工したんだろう。写真の焼き具合が変だったから、すぐに分かった。あんたが学会用のデータを作るときによく使う手だよな。何度か追試をして確信をもっている場合、写真の焼き具合を調整してもだれもとがめたりはしない。学会発表のデータなんて、そんなものだろう。だけど初めて見るデータをそうやって歪めるのはまずいんじゃないか。現にこういう結果になったわけだし」

葉月はさっきまで整理していたファイルに手を伸ばし、問題の写真を取り出した。紫色のバンドをもう一度、子細に眺める。白い背景にほんのわずかだけ、ゴミのようにも見えるバンドがあった。震える指で葉月は写真を机に置いた。あの時、学会用のデータだと思ったから、妙なウイルスの存在はないほうがいいと考え、写真の焼き具合を調整した。それが結果として、ウイルスを見逃すことにつながってしまった。

「あんたがこの血液には妙なウイルスのバンドがある。なにかおかしいと仲沢に告げていたら、その時点でやつはセント・チャールズ病院の医師に相談していただろう。被害は川久保しおん一人で済んだかもしれない。原島宏と宮脇哲史が移植を受けたのは、今年の春以降なんだからな。あんたには、これ以上の感染を食い止めなけりゃいけない義務がある。そう思わないか？」

葉月は喉の渇きを覚えた。立ち上がり、冷蔵庫へ向かう。緑茶のペットボトルを取り出し、ボトルに直接、口をつけて喉を潤した。

胸が苦しかった。冷たい液体が食道から胃へと流れ落ちていくが、焼け付くような熱い塊は、どんどん喉の奥からせり上がってくる。

どうする？

葉月は自分に向かって問い掛けた。

ペットボトルにキャップをはめ、冷蔵庫へと戻す。振り返ると真鍋が今にも食いついてきそうな形相で葉月をにらみつけていた。眼鏡の奥からのぞくぎょろりとした目が、異様な光を帯びている。

その表情を見ているうちに、葉月の心は固まった。感染者を抹殺しても責任をとることにはならない。真鍋は心が壊れてしまったのだ。岸川に壊されてしまったのだ。彼の狂気に引きずられてはいけない。

真鍋は葉月の考えを見透かしたように、唇を歪めた。

「あんた、ウイルスのことをまだ公表するつもりだな」

「だって……」

「それなら、これが最後通告だ。もし、あんたが殺《や》らないなら、俺がウイルスをばらまく」

「言ってることが支離滅裂よ！」

葉月は叫んだ。

真鍋は白っぽく乾いた唇を舐《な》めると、葉月をにらみつけた。射すくめるような視線だった。完全に正気を失っている。葉月の背筋を、冷たいものが電流のように走りぬけた。

「俺がこの十年間、どんな思いで生きてきたのか、あんたには分からないのか？　俺があの少女を殺した罪が、ウイルスを消滅させることで帳消しになる。岸川先生はそう言ってくれた」

「だからっ、騙されてるのよ、岸川に。利用されているだけ」

「それでもいい」

　真鍋の両目に涙があふれた。

「俺がそうしたいんだよ。あの少女に報告したい。俺は自分の命をかけて殺人ウイルスがこの世に蔓延するのを食い止めたってな。だから許してほしいと、あの子に言いたい。それ以外に何も望んじゃいない」

「真鍋さん……」

「いいか？　あんたは今日これから、三時に鎌倉市の黎明《れいめい》病院へ行くんだ。来週の手術に備え、宮脇哲史は三時に血液検査を受けることになっている。手術と比べれば感染の危険は少ないけれど、油断はできない。病院の前で待ち伏せろ。そして、彼を拉《ら》致《ち》して殺すんだ。遺体は必ず焼いて処分しろ。解剖なんかしたら、たいへんなことになる」

　葉月は首を横に振った。

「できない。そんなことできない」

「やらなきゃ駄目なんだよ、あんたは」

「とにかく、私は引き受けない」

真鍋が燃えるような目で葉月をにらんだ。

「俺はできる限りのことをやる。だけど、こんな状況だ。どこまでできるかは分からない。ウイルスが蔓延したら、あんたの責任だぞ」

「警察に言うわ」

「だから無駄なんだよ。やつらに理解できる話じゃないんだから」

真鍋ははき捨てるようにそう言うと、部屋を出て行った。

ドアが派手な音をたてて閉まった。葉月は電話に手を伸ばした。警察に電話しなければならない。真鍋はこれから、鎌倉の黎明病院へ向かうはずだ。そのことを警察に告げなければならない。けれど、どう説明すればいいのか分からなかった。

異種移植、殺人ウイルス……。

警察は理解してくれるだろうか。いや、そんなことはどうでもいい。とにかく真鍋を逮捕してもらうことが先決だ。

「鈴森さんに連絡をとりたいんです」

電話に出た女性に告げたが、鈴森は不在だった。真鍋を追っているのは、鈴森たちなのかもしれない。

「どういうことですか。事情を……」

葉月は舌打ちをした。そんな時間はない。それに、説明をしてもすぐに理解してもらえるとは思えない。

「あっ」

そのとき気付いた。

真鍋の行動を阻止すれば、それで話が済むわけではないのだ。哲史に手術を受けさせるわけにはいかない。真鍋の話が本当ならば、医者や看護師にウイルスが感染する危険がある。そうなったら、取り返しがつかない。今日は検査だけだとはいえ、血液を取り出すのだから、危険がないとはいえない。

「とにかく、鈴森さんに連絡が欲しいと伝えて。仲沢葉月です」

それだけ言うと、葉月は受話器を戻し、部屋を出た。

駐車場に出ると、車に飛び乗る。哲史が病院に入るまでに、あと二時間ほどある。三鷹市から鎌倉までどのぐらいかかるのか分からないが、おそらく間に合うだろう。真鍋はレンタカーを借りるなりして、車を入手する必要があるはずだから、真鍋より先に現地へ着くことができる可能性が高い。葉月はエンジンを勢いよくかけた。

助手控え室のドアを開けると、鈴森は大声で仲沢葉月の名を呼んだ。部屋の中には誰もいる様子がない。

「いないみたいですね」

分かりきっていることを川本が言う。

真鍋は彼女と接触しなかったのだろうか。

真鍋を見失ったのは痛かった。しかし、正体が分かったからには、逮捕は時間の問題だろう。いや、必ず逮捕してみせる。

放置してあった車のナンバーから、真鍋のことを調べるのは容易なことだった。この大学の職員、しかも仲沢葉月と同じ研究室の人間だと分かったときには驚いたが、同時に、やっぱりという気もした。

宮脇哲史。移植を受けた三人目の子供をマークしていたのは、やはり正解だったのだ。

そのとき、白衣姿の若い男が隣の部屋から出てきた。学生のように見える頼りなさそうな男だった。鈴森は上着の内ポケットから警察手帳を取り出した。男の表情が強張る。

「仲沢葉月さんを探しているんですが」

男は怯えたように目を瞬いた。

「ついさっき駐車場に降りていきました。ひどく急いでいたようですが」と細い声で言う。

「真鍋は？　彼はここに来ていませんでしたか」

「ああ、真鍋さんなら、仲沢さんとこの部屋でしばらく話していたみたいですよ」

やはり二人は接触していた。

あの女……。

激しい怒りが、湧きあがってくる。涼しい顔をして、自分を、警察をこけにするようなことをやってのけた仲沢葉月を、心の底から憎いと鈴森は思った。

そのとき、携帯電話が鳴り始めた。鈴森は男に向かって軽く頭を下げると、通話ボタンを押した。

「鈴森だが」

「ああ、よかった、つかまって」

署の女性職員だった。

「さっき、仲沢葉月という女性から電話がありました。なんだか様子が変だったので、お知らせしたほうがいいかと思って」

「なんて言っていたんだ」

「鈴森さんと連絡を取りたいと。なんだかひどく慌てた様子で電話を切ってしまったんで詳しいことは分からないんですが」

仲沢葉月が自分から電話をかけてきた。彼女はいったい何を伝えたかったのだろう。

「それと、もう一つ連絡です。宮脇哲史をマークしている部隊は、鎌倉市の黎明病院へと向かったそうです。彼、今日はそこで検査を受けることになっているそうです」

「ああ、そうだったな。我々もそっちへ向かう」

鈴森は電話を切ると、川本に向かって顎をしゃくった。

真鍋の自宅は別の刑事がすでに張っている。この大学で真鍋や仲沢葉月を待っていてもしかたがない。ここに真鍋が戻ってくる可能性は低そうに思えた。

「おい、行くぞ」

川本が生真面目な表情でうなずいた。

17

黎明病院の駐車場に車を停めると、葉月は正面玄関へ回った。

宮脇哲史が来院するのは、三時ごろだと真鍋は言っていた。腕時計の針を確認する。二時四十五分。

いったん病院の中に入ると、外科の待合室へ向かった。宮脇哲史と彼の両親の姿はなかった。急いで玄関へと引き返す。

彼らにどう説明すればいいのだろう。

来る途中、車のなかでずっと考えていた。結論は出ていない。あなたの息子は、致死性のウイルスに感染しています――。そんな風に告げることはためらわれた。しかし、検査を取りやめてもらうには、それなりに説得力のある説明をしなければならない。

玄関の脇に灰皿があった。

葉月はジーンズのポケットから煙草を引っ張り出すと火をつけた。通院患者らしい白髪の男が、すれ違いざまに軽蔑《けいべつ》するようなまなざしを投げかけてきたが、それを無視して通りに面した門のあたりを見やる。玄関から門までは三十メートルほどの距離がある。煙草を吸い終わったら、門のところで待つことにしよう。

門の近くには、グレーのセダンが横向きに停まっていた。さっきまではいなかった車だ。エンジンをかけっぱなしにしている。真鍋かもしれない。そう思って、葉月は煙草を灰皿に放り込むと、セダンに近づいた。スモークガラスになっているので、車内の様子ははっきりとは分からない。しかし、運転席だけでなく助手席にも人が坐っている気配があった。真鍋ではない、と葉月は思った。おそらく、家族か誰かが病院の玄関から出てくるのを待っているのだろう。

そのとき、門のあたりに人影が見えた。子供の手を引いた女だった。二人は玄関から見て左側に設けられた歩道をゆっくりと歩いてくる。

葉月は二人に駆け寄った。

「宮脇さん」

声をかけると、女が警戒するように目を細めた。

「あなた確か……」

「あの、実は哲史君のことで」

葉月は宮脇哲史の顔を注意深く見た。水疱は認められない。が、唇の右端のあたりが少し赤くなっている。かぶれているだけ、とも思えたが水疱ができる前兆に見えないこともない。とりあえず、今日の検査を取りやめてもらうしかない。

「今日の検査を中止してください」

哲史の母親が、あきれたように首をすくめた。

「いったいあなたは、なんなんですか？　いいかげんにしてください」

哲史の手を引き、歩き始めた彼女の前に葉月は立ちはだかった。検査を受けさせるわけにはいかない。

哲史の母親は、唇を引き結ぶと、葉月を避けるように車道へと出て歩き始めた。

「待って！　話を聞いてください」

再び二人の前に葉月は回りこむ。うんざりしたような表情で、哲史の母親が唇を開きかけた。そのとき、白い小型車が門から入ってくるのが目に入った。葉月は唾を飲みこんだ。運転席に坐っているのは真鍋だ。やっぱり彼はやってきた。真鍋も葉月の姿を認めたようだった。車は門のすぐそばでいったん停止した。が、すぐに動き出す。まっすぐ葉月たちのほうに向かって。哲史とその母親が振り返る。運転席の真鍋の顔がはっきりと見えた。歯を食いしばり、両目をかっと見開いている。

逃げなければと思うのに、身体が金縛りにあったように動かない。哲史の母親も、怯えたように立ちすくんでいる。

真鍋は哲史をひき殺すつもりなのか。いや、そんなはずはない。哲史の身体から血が流れ出したらおしまいだ。

そのとき、タイヤがきしむ音がして、グレーのセダンが急発進した。

大きな衝撃音。哲史とその母親がしゃがみこむ。葉月も思わず目を閉じた。油の匂いが強くした。

どれぐらいそうしていただろう。おそるおそる目を開けると、白い小型車の助手席側のドアにグレーのセダンのボンネットがめり込んでいるのが見えた。セダンから男が降りてくる。葉月は大きく息を吐き出した。制服は着ていないけれど、警察に違いないと思った。小型車の中から真鍋を引きずり出す。

「放せ!」

真鍋がわめく。怪我《けが》はないようだった。

「その子を殺さなきゃならんのだ!」

「なんてやつだ。署まで来てもらう」

男が言うのが聞えた。

「仲沢!」

ふいに真鍋が怒鳴った。

「お前がやれよ。さっきの打ち合わせで話した通りだ。後はまかせたからな」

そんなことができるはずない。葉月は唇をかんだ。

「頼んだぞ」

再び真鍋が叫んだ。

哲史がはじめて泣き声をあげた。ようやく事態を理解したようだった。火がついたように泣き叫ぶ。母親が彼を抱きしめ、なだめていた。

　それを見ていると、胸が苦しくなってきた。そう。今は命拾いをすることができた。けれど、宮脇哲史の身体の中には……。

　唇を噛み締める。

　ポケットに入れていた携帯電話が鳴り始めた。こんなときに、と思ったが着信表示を見ると克二からだった。

「葉月か？」

「今、手が離せないの。後にして」

「じゃあ手短に言う。さっき、アメリカから情報が入った。臓器売買による移植を受けた子供は二十七人。その中に原島宏之と川久保しおんの名はなかった。移植を受けた子供のリストに日本人の名が一つあったけど、二人ではなかったんだ」

　それが何を意味するのか、とっさには分からなかった。

「だから、仲沢さんは臓器売買に関与していなかった可能性が強いってことだよ。それを真っ先にお前に伝えたくて」

　克二が言う。

臓器売買ではない。啓介は異種移植をやってしまったのだ。そして、殺人ウイルスをこの世に送り出してしまった。

そのとき、ふと思った。リストの中にあった一人、というのは誰なのだろうか。

「ねえ、リストの中にあった名前って？」

「宮脇哲史という子だ。やはり東都大学病院経由で移植を受けたようだ」

克二がまだ何か言っている。けれど、彼の言葉が耳に入らなかった。葉月の視界がみるみる曇った。

売買された臓器の移植を受けたとしたら、宮脇哲史はウイルスに感染などしていない。死ぬことはないし、感染源となることもない。彼はこれからも生きていくことができる。

「おい、聞いているのか？」

「知らせてくれてありがとう」

かろうじてそう言うと、葉月は電話の通話スイッチを切った。

新たに一台の車が門を抜けてきて、二台の車の脇に停まった。助手席側のドアが開き、鈴森がのっそりと姿を現した。葉月は鈴森に向かって頭を下げた。きっと伝言が伝わったのだ。鈴森は相変わらず唇をへの字に歪め、苦虫を噛《か》み潰《つぶ》したような表情を浮かべている。しかし、懐かしい人と会えたときのような気持ちが胸の内に広がっていく。

――長かった。

原島宏の誘拐殺人事件、啓介の死。あまりに多くのことが起き、混乱の渦の中に巻き込まれ、苦しい日々が続いた。鈴森にとっても、それは同じではないだろうか。鈴森は、事件の解決を切望していた同志だったのだと思う。だから、懐かしいような気持ちになるのだ。

でも、これでようやく決着がついた。自分も知っていることはすべて話すつもりだった。

鈴森は厳しい表情を浮かべ、真鍋を羽交い絞めにしている男と一言、二言、言葉を交わすと葉月たちのほうに近づいてきた。

「仲沢葉月さん、参考人として署まで来てもらう」

「ええ」

葉月はうなずいた。説明しようと思った。異種移植のこと、ウイルスのこと。どこまで理解してもらえるのかは分からないけれど、できるだけの説明をすることが自分の義務だと思った。

鈴森ががっちりと葉月の腕を摑んだ。

「ちょっと、何をするんですか。離してください」

振り払おうとするが、鈴森はいっそう力をこめてくる。葉月は鈴森の顔を見上げた。怒りに燃えた視線に射すくめられ、はっと息を飲む。

「よくも騙してくれたな」

押し殺したような声で鈴森が言う。

「騙したって？　そんな私……」

「何か隠しているとは思ったんだが、まさかあんたが共犯だったとはな」

「ちょっと待ってくださいよ！　私、真鍋のことを知らせようと思って鈴森さんに電話したわ」

鈴森の指が葉月の腕にさらに深く食い込んだ。

「ふん。どうだか。俺達の捜査を攪乱《かくらん》するつもりだったんじゃないか？　あんた、真鍋と共謀して、宮脇哲史を誘拐して殺すつもりだったんだろう？　署でみっちり絞ってやる」

そんな馬鹿な！

強く背中を押され、葉月はよろめいた。

そのとき、背後で刑事が大声をあげた。

「おい、追え！」

鈴森の力が一瞬、ゆるむ。声がしたほうを見ると、葉月は息を飲んだ。真鍋が刑事を振り払ったのだ。真鍋は門を駆け抜け、通りに走り出た。

その瞬間、車が急停止する音が聞こえた。そしてものがぶつかる鈍い音。

「畜生！　あいつら何やってるんだ」

鈴森は怒鳴ると、葉月の腕を摑んだまま、門へ向かって走り出した。引きずられるようにして葉月も走る。

門を出てすぐのところに、トラックが止まっていた。その少し先に、真鍋が倒れていた。首が不自然に捻《ね》じ曲がり、頭から大量の血が流れ出している。息がないことは明らかだった。猛烈な吐き気がこみ上げてきて、葉月はその場にしゃがみこんだ。

18

東都大学医学部の第一会議室には、五十人を超す報道陣が詰め掛けていた。渡部克二は毎朝新聞の腕章をつけたカメラマンに声をかけると、前から二列目にかろうじて残っていた空席へと向かった。

大きな会見の時には、いい席を確保するため開始時間の二十分前には会場に入ることにしているのだが、今日は医学部長室に寄ってから会見場に来たので、遅くなってしまった。

異種移植と殺人ウイルスの感染。原島宏の誘拐殺人の裏に、こんな大きな問題があったとは、予想もしていなかった。移植がなにか関係するとは思っていたが、まさかこんなことだったとは……。大きな事件と遭遇すると、興奮を覚えるし、やる気も出るものだ。しかし今回は少し違った。

鞄からメモ帳とボールペンを取り出し、テープレコーダーに新しいカセットを装着する。記者会見が始まるまで、十分ほど時間があった。克二は腕を組むと目を閉じた。仲沢葉月のことを思うと、複雑な気持ちだった。彼女は真鍋と共謀して、宮脇哲史を誘拐しようとしていたという。参考人として警察に引っ張られた後、逮捕されてしまった。

あの葉月が、誘拐に手を貸したということが、克二には信じられなかった。葉月自身も容疑を否認しているようだが、彼女にとって状況はあまり有利なものではなかった。黎明病院に真鍋が現れる前、東都大学で葉月が真鍋と話し込んでいるのが目撃されている。彼女は宮脇哲史があの日のあの時刻に黎明病院に現れることを知っていたことも事実だ。さらに東都大学からは、葉月の実験ノートが警察に提出された。岸川医学部長の説明によると、仲沢葉月は仲沢啓介から原島宏らの血液検査を依頼され、手を貸していたという。仲沢啓介が異種移植を断行し、殺人ウイルスを発生させた。そしてウイルスの存在を隠すため、真鍋と共謀して、感染した子供を殺そうとした、というのが警察の見方のようだった。宮脇哲史が感染していなかったのは、偶然にすぎない。たまたま、売買された臓器が手に入ったため、豚ではなく人間の子供の臓器を用いたという。

ただ、克二には一つ、気になることがあった。東都大学からファクスで送られてきた記者会見予定の紙を取り出し、もう一度眺める。紙の右下あたりに一センチほど細い横線が入っている。よく見なければ気付かないし、文字を読むのに邪魔になるほどのものではない。プリンターの具合がよくないとき、印刷の時に生じてしまう雑音のような線だと思われた。克二の会社にあるプリンターでも、同じようなトラブルが以前、起きたことがある。

部屋の前方にあるドアが開いた。同時にいくつものフラッシュが光った。シャッターを切る音が部屋に溢《あふ》れかえる。

克二はテープレコーダーのスイッチを入れた。ボールペンを握ると、細身の身体を深々と折り曲げて一礼し、テレビ局のマイクが何本もすえつけられたテーブルに着く岸川医学部長の表情を注意深く窺《うかが》った。頬が血の気をなくしている。目線も落ち着きなく泳いでいる。岸川の隣には、小太りの男が坐った。その男は学長だと名乗ると、重々しい声で切り出した。

「まず、当大学の三人の元職員が、大変な事件を引き起こしましたことを深くお詫《わ》び申し上げます」

学長と岸川が同時に立ち上がり、テーブルに頭をこすり付けんばかりに下げた。ここぞとばかりに再びフラッシュが光る。

「それでは、医学部長の岸川より、当大学医学部の今後の体制についてご説明させていただきます」

学長が言うと、岸川が資料を取り出し、読み上げ始めた。

「今回のように一部の研究者が独断で許されていない医療を手がけ、その結果、重大な社会問題を引き起こしてしまったという事実を我々はたいへん重く受け止めております。今後、同様の過ちを繰り返さないよう、医学部内に新たに倫理委員会を設けることといたします。学外より、広く人材を募り、適切な医療のあり方というものを論議していただきたいと考えております。また、各研究室の責任者である教授は、常に部下の研究、治療の状況を把握し、月一度の割合で学部長に報告することといたします。こうした取り組みを通じ、患者さんをはじめ一般の方々の信頼を回復するよう、努力してまいりたいと思います」

　岸川は資料をテーブルに置くと、深々と頭を下げた。

　白々とした空気が会議室に漂った。

　最前列の記者が手を上げて発言した。

「今回の事件、仲沢啓介、仲沢葉月、真鍋康之の三人以外も関与していたんじゃないですか？」

　学長がマイクを引き寄せる。

「それは警察が調べていることですが……。私どもとしては断じてそんなことはないと申し上げたい」

「だけど岸川さんは仲沢啓介の直接の上司じゃありませんか。まったく知らなかったとは思えないんですがね」

　岸川は紅潮した頰を震わせた。

「管理不行き届きだったかもしれませんが……。彼は極めて優秀な医師で、助教授という職にあったものですから、つい任せっきりにしてしまいました。信頼を裏切られたと申しますか……」

別の記者が挙手をした。

「未知の医療を研究者が独断で実地に移すなんて、信じられませんよ。病院の体質に問題があるんじゃないですか。さきほどおっしゃった倫理委員会を作る程度では、国民はとても安心できませんね。学長、学部長を含め、幹部は辞職するのが当然だとは思いませんか」

学長が憮然《ぶぜん》とした表情で腕を組み、空をにらむ。岸川は学長をちらっと横目で見ると、肩を落としてぼそぼそと話し始めた。

「ですから、今回のことは三人の……いわば特異な人間が暴走したというだけで……。我々も被害者と言えると思うのですが」

「そんないい訳、通用すると思っているのか！」

「いいかげんにしろ！」

会場の後ろのほうから怒声が飛んだ。

「みなさん、ご静粛にお願いいたします！」

大学の事務長らしい小柄な男が、声を振り絞って叫ぶ。

学長が突然、椅子をけって立ち上がった。

「会見はこれにて終了させていただく！」

再び怒声が飛び交う。が、学長と岸川はすばやく立ち上がると、部屋を出て行った。記者たちもいっせいに立ち上がる。克二も慌てて腰をあげ、ノートを手にして出口へと急いだ。


冷たい――。

仲沢葉月は留置所の壁に頰を押し付けると、深いため息をついた。

どうしてこんなことになってしまったのか。すべてが現実のことだとは思えなかった。啓介と真鍋の共犯だという容疑をかけられ、こんな場所に押し込められている。

警察が、実験ノートを持ち出してきたとき、ショックを隠すことができなかった。原島宏の血液を調べたときのデータを記録したノート。さらに、原島宏の血液サンプルもみつかった。薬研で啓介の依頼を受けて、探したときには見つからなかったのに、いったい誰がどこから持ち出してきたのだろうか。葉月にはさっぱり事情が飲み込めなかった。しかし、サンプルを入れたチューブのラベルには、日付と啓介の名が葉月の筆跡で記してある。それが啓介の協力者であった証拠と言われると、反論のしようがなかった。

あの時、黎明病院へと行く前に警察にきちんと事情を説明していればよかった。今更ながらそう思う。

疲れた。心底そう思った。

取調室で何時間も責め立てられ、お前がやったことだろうといわれ続けると、だんだんそんな気分になってくる。岸川をもっと調べてくれ。そう言っているのに、警察は聞いているのかいないのか。あまり関心を示してくれない。

啓介が憎かった。何も話してくれずに死んでしまうなんて。殺されたのだと思う。それでも、彼が自分をないがしろにしたことに変りはない。しかし、同時に狂おしいほどのいとおしさがこみ上げてくる。自分は確かに彼が好きだった。でも啓介はもういない。この複雑な感情をぶつけることはできない。本当に独りになるとはこういうことだったのだ。それに、こんなことがあったからには、自分の研究者としての未来は閉ざされたも同然だ。

もうどうでもいい。

何もかも忘れられる場所があるのなら、そこへ行きたいものだと葉月は思った。

　会議室の前の廊下で岸川を取り囲んでいた記者が、一人、また一人と去っていく。原稿の締切時間が迫っているから、長く粘る余裕が多くの記者にはないのだ。克二は辛抱強く、岸川が一人になるのを柱の陰に隠れて待った。

　ようやくそのチャンスが訪れた。

　最後の記者が、岸川に軽く頭を下げると、廊下を早足で歩き始める。岸川がほっとしたように、息を吐き出すと、階段に向かって歩き始める。

「岸川さん」

　克二が声をかけると、岸川は振り向いた。ぎょっとしたように、両目を大きく見開く。

「私にはどうしても分からないことがありましてね。ご説明をお願いできませんか?」

　克二はポケットから記者会見の案内の紙を取り出した。

「岸川さん、あなたは以前、僕に仲沢啓介の遺書が見つかったからといって情報をくれましたよね。そして、ワープロ書きの遺書を渡してくれた」

「そ、それは……。本当に仲沢から郵送されてきたものだ。まさか遺書に嘘を書くとは私も思っていなかったから信じてしまった。だが、それを記事にしたのは君の判断だろう？　こっちに文句を言われても困るね」

「いいえ、そういうことではありません。実は、ちょっと気になるんです。東都大学から送られてきた記者会見の案内の紙がここにあります」

克二はポケットに手を入れると、もう一枚、紙を取り出した。

「そしてこれが、あの時岸川さんにもらった遺書のコピーです」

岸川が首をひねる。

「それがどうかしたのかね」

「いや、僕にはどうもこの右下にある線が気になるんですよね。プリンターの癖で出てしまう雑音のような線だと思いますが、この二枚の紙は、ぴったり同じ位置に線がある。会見の紙は、岸川さんの秘書が作ったそうですね。学部長室にあるワープロで作成し、プリントアウトしたと言っていました。会見の前に本人に確認を取りました」

克二は岸川の顔をぐっとにらんだ。

「ということは、この遺書。これも岸川さんの部屋で作ったものだと推測できるわけだ。この理由を僕は説明してもらいたい。僕が納得できる説明をね」

岸川の顔から血の気が引いていく。

「それを……。その遺書を私に返してくれないか。詳しく調べてみる」

かすれた声で岸川は言った。

「いいでしょう。お返ししますよ。今朝、二枚の紙を並べたところを写真部のカメラマンに写してもらっているから」

「記事を書くのか？　それは……。紙の汚れが偶然同じ位置につく場合だってあるだろう。それに仲沢が私のワープロを使ったのかもしれない」

「まあ、その可能性はありますよね。ただ、状況からみると、あなたが遺書を偽造した可能性が高い。その狙いについて、僕なりに考えてみると、一つのことしか思い浮かばないわけですよ。僕は調べますよ。徹底的にね」

克二は岸川に背を向けると歩き始めた。

自分の持てる力をすべて注ぎ込んでこの事件を調べようと克二は思った。葉月のためにそうするのではない。自分の誇りを守るためにだ。

遺書が偽造されていたことに気付かず、でかでかと記事を書いてしまった自分は記者として最低だ。汚名を晴らすためには、失態を上回るスクープを自分の手でものにするしかない。それが結果的に葉月を苦境から救うことにもなる。

19

羽田空港の到着ゲートは、拍子抜けするほど空いていた。ビジネススーツに身を包み、新聞を小脇《こわき》に抱えた男性たちが我先にとリムジン乗り場へと急ぐ。秋の観光シーズンには、まだ少し早いこの時期、空港の利用客は大半がビジネスマンのようだった。

事件は過去のものとなっていく。傷が癒えるように心も元に戻るのだろうか。とてもそうは思えなかった。少なくとも今は。

ゲートを出ると、渡部克二が近づいてきた。克二も丸めた夕刊を手にしている。逃げ出したかったが、もう目の前に克二はいた。

「仲沢さんの親父さんに飛行機の時間を聞いたんだ」

克二が太った体を揺すりながら言う。

葉月はボストンバッグを左手に持ち替えた。啓介の四十九日のために青森へと出かけたことは、おそらく研究室の人間から聞き出したのだろう。そういえば、克二にお礼を言っていなかった。克二が岸川による遺書の捏造《ねつぞう》を紙面で暴いたことがきっかけとなり、警察の捜査が急転換した。岸川は逮捕された。そして葉月への容疑が晴れた。

「いろいろありがとう。助かったわ」

　葉月は克二に頭を下げた。克二が慌てたように鼻を指で掻く。

「よせよ、こっちが迷惑かけたんだから。それより、青森はもう結構、寒いんだろう？」

「それほどでもなかった。で、今日はどうして私を？」

「うん。一つ知らせておきたいことがあってさ。参考人として桜木栄子が事情聴取を受けていただろう？　彼女がようやく話し始めたんだ。明日の朝刊に記事は出るけれど、詳しい話を教えてやろうと思ってさ」

　葉月は立ち止まった。

「俺、ハイヤーで来たんだ。車の中で話そう」

　克二が先に立って歩き始めた。

　ハイヤーの後部座席に並んで腰を下ろすと、克二がさっそく話し始めた。

「どこから話せばいいのかな……。そうだな、とりあえず異種移植が行われた経緯から説明しよう」

　膝に視線を落し、葉月は耳を傾けた。

「桜木栄子がアメリカに留学していたことは知っているな」

「ええ」

「彼女には恋人がいた。大学の先輩に当たる医者で、異種移植の研究を手がけていた」

葉月はいつか、研究所の控え室で見た写真を思い出そうとした。彫りが深く、端正な顔立ちをした男性が写っていたと思う。笑顔だったことは覚えているけれど、顔はうまく思い出せない。

「そいつはセント・チャールズ病院に医者として就職したんだが、そこで直面したのが、臓器売買が横行しているという事実だった。彼はそれを止めようと思ったらしいけど、移植を待っている子供を持つ親にあきらめろとは言えなかった。異種移植しか子供たちを救う手だてはないと彼は思っていたんだが、異種移植はアメリカでも認可されていない。そんなやるかたのない不満を日本にいる恋人に打ち明けた」

「桜木さんが第一外科にいた頃の話ね」

「ああ。彼女も初めはどうしようもないことだと思っていたようだが、同じ研究室にいる仲沢さんに移植が必要な子供がいることを知った。その子はかなり危ない状態にあって移植を受けられる目処《めど》もついていない。彼女は仲沢さんに異種移植を受けさせてみないかと持ち掛けた。もちろん、そんなことが堂々とできるわけはないけれど、セント・チャールズ病院なら密《ひそ》かに移植を受けさせられると思ったらしい。なにせ臓器売買に手を出すような病院だからな。仲沢さんはその話に乗った。セント・チャールズ病院の医師も移植に同意した。移植用の豚を開発中のゼノファーマにも異存はなかった」

密かに行われた人体実験。でもそれを人体実験と呼ぶのが適当なのか、葉月には分からなかった。移植を受けなければ確実に死ぬ子供たち。彼らを見殺しにすることと、異種移植という禁じ手を使って治療をすること。同じ場面に直面したら自分がどちらを選ぶかは分からない。少なくとも実験に取り掛かるとき、啓介もセント・チャールズ病院の医師もゼノファーマの開発者もみな、子供の命を救うことを願っていたはずだ。

「仲沢さんは東都大学病院に通院していた川久保しおんの両親に声をかけた。自分の知り合いを通じて臓器を入手できるから、渡米して手術を受けるように勧めた。真っ先に自分の息子に手術を受けさせたかったようだけど、そのころ宏君の体調がよくなかったんだ」

葉月は窓の外に目をやった。首都高速を速い速度でハイヤーは飛ばしていく。街灯がすでに灯《とも》り始めていた。追い抜いていく車の赤いテールランプが眩《まぶ》しい。

「そして去年の秋、川久保しおんの手術は決行された。手術自体は大成功だったけど、ウイルスが感染してしまった」

葉月は唇を噛んだ。そして啓介から川久保しおんの血液サンプルを預かった自分は、ウイルスの混入を見逃した。啓介は危険に気付くことなく第二の被験者として自分の息子を選んだ。

窓を細く開けると煙草に火をつける。煙を胸の奥まで吸い込むと、ゆっくりとそれを吐き出す。さまざまな思いが胸に込み上げてきた。情けなさ、悔い、怒り……。言葉では説明ができない苦い感情だった。

「川久保しおんの手術が成功したように見えたから仲沢さんは、宏君にも同じように、豚の臓器を移植することにした。ちょうどそのころ、岸川がセント・チャールズ病院に仲沢さんが子供たちを紹介していることを知った。その背後に桜木栄子がいることも突き止めたんだな。桜木栄子には悪いことをしているという意識がなかった。むしろ自分たちは正しいことをしていると信じていた。しかも彼女は岸川を信頼していた。だから異種移植のことを岸川にしゃべってしまった。隠れて異種移植をやるのではなく、堂々と厚生労働省に臨床試験の許可を申請すべきだと進言した」

栄子の正義感が裏目に出てしまったのだ。

「もちろん岸川がそんなことをするはずがない。やつは異種移植を利用して一儲《ひともう》けすることを考えた。彼は当時、知人の宮脇さんから移植先を紹介してほしいという相談を受けていた。仲沢さんに異種移植のことを見逃す代わりに、自分も一口乗せろと迫った」

「そのころはまだ、ウイルスのことは分かっていなかったのね」

「ああ。岸川が抜け目なかったところは、ゼノファーマからも金をふんだくったことだ。まったくいい根性してるよ、あいつは」

「でも結局、異種移植はうまくいかなかった」

「川久保しおんがウイルスに感染していると知ったとき、岸川は愕然としたそうだ。そして彼が川久保しおん、そして原島宏を殺すことを決めた。ウイルスの蔓延を食い止めたいという気持ちはもちろんあっただろう。しかし、それ以上に岸川が恐れたのは、異種移植を手がけていたという事実が外部に漏れることだった。子供たちはいわば生きた証拠だ。仲沢さんは反対したそうだ」

葉月はうなずいた。当たり前だ。啓介はそんな卑怯《ひきょう》なことはしない。

「岸川も自ら手を下す度胸があったわけじゃない。桜木栄子に子供たちを始末するようにせまった。桜木栄子がそこらへんのことを証言したから、岸川はもう言い逃れができない」

「桜木さん、岸川の言いなりにはならなかったのね」

「そう。だから岸川は真鍋を抱きこむことにした。真鍋は長い間、心に傷を抱えていた。岸川さんの言葉にまんまと乗せられて、川久保しおんとその一家を殺した。絞殺した後、火を放ったようだ」

「宏君の誘拐は？　遺体は仲沢が実家の病院で焼いたみたいだけど」

「真鍋は友達の家から帰る途中の原島宏を攫《さら》って自宅のアパートで絞殺した。その後、仲沢さんに電話をかけた。仲沢さんはアパートに飛んでいったそうだ。そして真鍋はその直後に原島公子さんの家に身代金を要求する電話をかけた」

あの夜、かかってきた電話は真鍋からのものだったのだ。葉月は目を閉じた。啓介はどんな気持ちで息子の死を知らせる真鍋の言葉を聞いたのだろう。考えるだけで胸が痛くなってくる。

「仲沢さんは一晩中、車を飛ばして青森にある実家の病院に向かった。普段、使っていない古い焼却炉があることを知っていたからだそうだ。そこで明け方、遺体を焼いた。そしてとんぼ返りで東京に引き返して、遺骨を戸山公園に置いたそうだ。千葉で起きた誘拐事件と同一犯に見せかけるというアイデアは真鍋のものだったらしいが、仲沢さんも同意した。遺骨を公子さんのもとに返したかったためだそうだ」

「宮脇哲史が異種移植を受けていなかったのは？」

「運がよかったとしか言いようがない。セント・チャールズ病院は臓器売買も続けていたんだ。ちょうどいいタイミングで臓器が手に入って、ほかに移植を待っている子供もいなかったからそれを使ったんだ。もっとも売買された臓器だったから今回、摘発されることになったんだけどね」

「ねえ、もう一つ教えて。彼は自殺だったの？」

克二は首を横に振った。

「真鍋がやったことだ。もちろん岸川から言われてのことだけど。仲沢は邪魔立てをするから消すしかないと真鍋をけしかけたそうだ。仲沢さんは子供たちの治療を始めようとしていた。その矢先に真鍋が次々と子供を殺したものだから、ウイルスのことを公表すると言い出したそうだ。岸川がもっとも恐れていたことだ。だから岸川は仲沢さんを始末するしかないと思ったらしい。もうそのころ真鍋には正常な判断能力なんて残っちゃいなかった。岸川が興信所を使ってお前の後をつけさせ、仲沢さんの居場所を突き止めた。そこに真鍋が行って青酸カリ入りの飲み物を仲沢さんに飲ませて殺した」

やはりそうだった。恐山で最後に会ったとき、啓介は本当に自分に何もかも打ち明けてくれるつもりだったのだ。真鍋に殺されたから、それがかなわなかった。今さらそんなことを知ってもどうしようもないけれど、啓介が自分を信じていてくれたことで少しだけ救われた気分になる。

「桜木栄子は……まだはっきりとしたことは分からないけど、例のウイルスに感染している可能性があるそうだ」

葉月は目を閉じた。その可能性をずっと考えていた。啓介の死を知った日、彼女が手にしていた試験管。あの中に、問題のウイルスが入っていたのだ。栄子はこれからどうするのだろう。葉月には、彼女が実験を続けたがっているように思えてならなかった。自分自身を治療するだけでなく、ウイルスの正体を見極めるために。

葉月は窓の外を眺めた。薄墨色のビル街が前方に見えてくる。

「なあ、ひとつだけ不思議なことがある。なんで仲沢さんはお前に相談しなかったんだろう。俺がもし仲沢さんの立場だったら、ウイルス研究者であるお前に助けを求める」

「そんなこと、記事とは関係ないと思うけど」

「お前を事件に巻き込みたくないと考えて、ウイルスのことを話さなかったんだろうか」

「彼から何も聞いていないから分からない」

葉月は目を閉じ、最後に見た啓介の姿を思い出した。恐山で階段の上から彼を見下ろしていたときあの時、啓介は決着がついたらすべてを話すと言っていた。

その意味が今でははっきりと分かる。啓介は自分にあのウイルスの研究をさせたかったのだと思う。二度と悲劇を繰り返さないために。啓介は自分が医者として働くことができないことは予想していたに違いない。逮捕されることも考えていたはずだ。彼に研究をするだけの時間は残されていなかった。自分の志を引き継がせる相手として、啓介は自分を選んだのだと思う。そのために事件に直接、関与させないようにしたのだ。それを克二に説明する気にはなれなかった。自分の胸にしまっておきたかった。それに、もう彼が望んでいた形で意志を引き継ぐことはできない。

葉月は黙ったまま、窓の外を流れていく景色を見つめた。克二はボールペンで自分の額をこつこつと叩いた。

「じゃあもう一つ。仲沢さんは子供たちを治療する気はあった。でもウイルスの存在を公表する気になったのは、川久保しおんや原島宏が殺されてからのことだった。それが今ひとつ納得できないんだ。こう言ってはなんだけど、仲沢さんも岸川と同じように責任逃れをするつもりだったんだろうか」

「そう書きたければどうぞ」

「おいおい……」

克二があきれたように顔をしかめた。

「彼が何を考えていたかなんて私には分からないもの。でも私が同じ立場だったら、やっぱり公表はしないで治療だけをするかもしれない」

「えっ！　お前、そんなこと許されないぞ。医療は透明性が大事なんだから」

「だけどウイルスのことが表ざたになって……。ねえ、これから異種移植、どうなると思う？」

「どうって？」

「きっと当分、禁止されるでしょうね」

「まあそうだろうな。こんなことがあったんだから」

新聞や雑誌は連日のように異種移植の危険性について書きたてていた。移植に関係する学会は急遽《きゅうきょ》、異種移植の臨床応用を凍結するガイドラインを制定した。アメリカやヨーロッパでも状況は似たようなものだった。動物の臓器を人間に移植すること自体が自然の摂理に反するという声もあがっていた。

異種移植は悪魔の技術。動物の臓器を決して人間に移植してはならない。

かつては脳死臓器移植を代替する技術として脚光を浴びていたこともあったのに、

状況は変わってしまった。殺人事件と結びついていなければ、受け止め方はもう少し穏やかなものだったかもしれないが……。もはや異種移植という技術は、日の目を見ることはない。少なくとも当分の間は。啓介はこういう事態を予想していたのだろう。だからウイルスの存在を公表することを決心するまでに時間がかかったのだと思う。

患者への移植を無断で行いウイルスが生じたことを公表しない――。啓介の取った行動を克二たちが非難するのは当然のことなのだろう。医者の勝手な論理だと責められるのもしかたがない。啓介自身も、自分がやったことが正しいとは決して思っていなかったはずだ。それでも息子を、患者を見殺しにすることはできなかった。そして異種移植という技術を封印させてはならないと思ったから、ウイルスのことを公表することをためらったのだ。

すべては想像にすぎないけれど、そう考えれば啓介の取った行動を理解できる。そして葉月は強く思う。ウイルスさえ取り除けば、あるいはウイルスが存在しない移植用の豚を作ることができれば、異種移植をためらう理由は一つもなくなる。誰かが異種移植を安全なものにしなければ、移植を待つ人たちは救われない。たとえ子供の脳死移植が解禁になったとしても臓器は必ず不足する。

啓介はしくじった。技術がまだ発展途上だったのかもしれない。しかし、異種移植自体が悪いわけでは絶対にない。

「お前の言うことも分からないわけじゃないけど、やっぱり密室医療っていうのはどうもね」

この問題について克二とこれ以上議論をする気はなかった。立場が違えば考え方も違う。

いつの間にか渋滞に巻き込まれていた。フロントガラスの向こうには、列をなすトラックや乗用車の赤いテールランプが、はるか前方まで続いている。

克二がメモ帳を閉じた。

「お前、これからどうするんだ。大学、辞めたんだろう?」

「うん、まあね。辞めざるをえなかったのよ」

「ほかの大学で職を探すのか? なんだったら俺も知り合いの大学の先生に聞いてみるけど」

葉月は微笑んだ。

「ありがとう」

克二の気持ちは嬉しかった。だけど、現実は厳しいだろう。容疑が晴れたとはいえ、トラブルに巻き込まれた自分を使ってくれる大学があるとは思えなかった。

「ま、少しゆっくりしろよ。飲みに行くならいつでも付き合ってやるからさ」

「うん。電話する」

葉月が言うと、克二がほっとしたように笑った。

20

三鷹からバスを二本乗り継いだ隣の市に詠明寺はあった。境内の砂利道をゆっくりと踏みしめ、本堂の裏にある墓地へ向かう。原島宏の墓がここにあるはずだった。引越しが終わったら、ここに来てみようと思っていた。

昨夜降った雪が松の木の根元をうっすらと覆っていた。湿った空気は肌に突き刺さりそうに冷たい。

あれから半年。なにもかも変わってしまった。大学に限らず、民間企業にも就職口を求めたが、どこも採用してくれなかった。だから今日、東京を去る。

それでいいのかもしれないと葉月は思っていた。人の記憶が完全に白紙に戻ることはありえない。しかし、ある程度はぼやけてくるはずだ。いつも記憶を引っ張り出して眺めていなければ、いずれ色あせる。なるべく思い出さないためには、東京から出たほうがいいのだ。負け惜しみかもしれないけれど。

あまり大きくはない敷地に、墓石がびっしりと並んでいる。風雪に打たれて角が丸くなっているものもあれば、黒光りしている真新しいものもあった。三鷹駅の近くで買った白菊の花束を手に、墓石に刻まれた名を一つひとつ確認していく。あまり大きな墓地ではないから、探すのにさほど手間はかからなそうだった。

見覚えがある後ろ姿が目に入ったのはその時だ。ベージュのジャケットを羽織った細い肩。原島公子だった。

御影石の大きな墓石の陰に身を隠そうとしたとき、公子が振り向いた。

公子がはっと顔を強張らせる。見つかってしまっては、逃げ出すこともできなかった。葉月は公子に向かって頭を下げた。

公子はわずかに微笑んだ。意外だった。彼女にとって自分は憎しみの対象でしかないと思っていた。公子の心の中では、すでに記憶が溶けかかっているとでも言うのだろうか。

「どうぞ。参ってやってください」

公子の声があまりに穏やかだったことに戸惑いながらも、葉月は公子の目の前にあるねずみ色の墓石へと向かった。

ひしゃくを手にした公子は葉月の持っていた花束に目をやると、柔らかい表情を浮かべた。

「ありがとう。こんなきれいなお花を供えられるのは久しぶりです。お花って結構、高いから。私が生けてもいいかしら」

「ええ。お願いします」

包み紙を丁寧にはがすと、公子は花に顔を近づけた。

「いい香り。宏も喜ぶわ。あの子、男の子なのに花が好きでねえ」

葉月は用意してきた線香をバッグから取り出すと、ライターで火をつけた。小さな炎は、手のひらで扇《あお》ぐとすぐに消えた。

墓石の前でしゃがみ、両手を合わせる。

直接、顔を合わせることは一度もなかったけれど、原島宏が心優しく、聡明だったことは分かる。啓介の血を分けた息子なのだから、聡明でないはずがない。葬式のときに見た写真の中の少年は澄んだ目をしていた。

公子が腰をかがめて、花を生け始めた。細い指が器用に動くのを、葉月はぼんやりと眺めた。公子のまぶたが、時折細かく痙攣するのに気付いた。やはり、と思う。彼女も胸の内に巣くっている黒い悲しみと戦っているのだ。辛くないわけがない。しかし、それ以上に悲しみが深いから、表面上、穏やかに見えるのだ。今の自分と同じように。公子に対して同志めいた気持ちが湧き上がってきた。

「お互い、辛い思いをしたわね」

手を休めることなく公子は言った。彼女も同じ気持ちなのだと思った。互いを憎みあっても何にもならない。そんなことよりたえず襲ってくる孤独感から逃れる術を見つけることが先決だった。

公子は返事など期待していなかったようで、淡々と続けた。

「でも今日は会えてよかった。あなたを恨むのは筋違いだって分かったから。鈴森さんっていう刑事さんも、あなたは、最大限の努力をしてくれたって言っていたわ。今では私もそう思う。啓介だって宏のためにすべてを投げ出す覚悟で異種移植をやってくれた。なにも豚の心臓を移植しなくてもいいのにと他人は思うんでしょうけど、ほかに方法がなかったんだから、しかたがないわ」

葉月は目を伏せた。公子の口調は明快だった。

少なくとも公子は出口に向かって歩き出そうとしている。この人はただのきれいな人形ではなかった。きっとだから啓介の心をとらえたのだ。不思議に嫉妬は感じなかった。

なぜ、子供の移植が認められていないのか。なぜ、臓器提供者が少ないのか。啓介の悲しい叫びが胸によみがえる。

「でもね、私、一つ納得できないことがあるのよ。今だから言うけど彼、なんで宏が病気にかかっていると分かっていたのに、私と離婚してあなたと結婚したのかしら」

葉月は公子から視線を逸らした。

「あの子が不治の病だって分かった直後に離婚するって言われたときには、なんてひどい人かと思って腹をたてたわ。夫婦で力をあわせて宏の面倒を見ようっていってくれるのが普通でしょう？　それなのにほかに好きな人ができただなんて。あのころは私も意地っ張りだったしプライドが高かったから、夫にほかに好きな人がいるなんていうことは我慢できなかったのね。だから離婚に応じてしまった」

あまり歓迎できない話題だったが公子の目は葉月に回答を促していた。

「多分、あなたと宏君のことを大切だと思ったから、私と結婚したんだと思う」

「どういう意味？」

「なんとなく分かるわ。彼は私のことを愛していたわけじゃない。宏君の病気に立ち向かうためには、私の知識とか強さとか、そういうものが必要だったんだと思う」

打ちのめされた気分で葉月は言った。だけどそれが本当のところだと思う。本人に確かめることができないのは幸いだった。啓介が、もしそうだと言ったら、とても耐えられない。

公子は驚いたように目を見張った。そして強くかぶりを振った。

「そういうふうに考えるもんじゃないわ。あなたがやったこと、私、すごいと思うもの。啓介もあなたのそういうところが好きだったんじゃないかしら。でも変ね、私がこんなことを言うなんて」

公子は横を向くと寂しそうな目をして少し笑った。

21

東京駅からの切符を駅員に渡した。待合室のベンチでは、色の褪せた風呂敷包みを膝に載せた老婆が映りの悪いテレビ画面に見入っている。頬ににきびが噴き出している学生が、唇を半開きにして漫画週刊誌に見入っていた。

葉月はずっしりと重い旅行鞄を手に歩き出した。タクシー乗り場を左手に進み、蕎麦屋の角を左へと曲がる。線路をくぐって北へ向かう。二階建ての町役場の脇を通り過ぎると、住宅の数はめっきりと少なくなる。

前方には山が迫っている。森の木々はすっかり葉を落し、どこか寂しげな様子をしている。すでに陽は傾きかけていた。ウールのコートを羽織っているのに、忍び込んでくる冷気が肌を刺す。

葉月は歩き続けた。舗装が悪い道路には歩行者用の白線など引かれていない。道路の脇には、刈り入れを終えた田が広がっている。小学から高校まで十二年間、通い続けた道だった。

あの頃はこの町から出て行けば、輝かしい生活が待っていると思っていた。それを手に入れるだけの器量が自分にはあると思っていた。結局、何を得たというのだろう。啓介は死んでしまった。仕事も失った。もう自分には何一つ残ってはいない。

信号のない交差点を左に折れると、葉月は足を止めた。

旅行鞄を持ち直して目を強く瞬く。診療所の看板に灯りがともっている。看板は作り替えたばかりのようで、ゴシック体の黒い文字がくっきりと浮かび上がって見えた。

『青山診療所　院長・青山保蔵』

葉月は再び歩き出した。

立て付けの悪いガラス戸を引く。開け放たれた診察室の扉の向こうに父がいた。背中をしゃんと伸ばして古びた事務机に向かい、カルテに見入っている。ただいま、と声をかけようかと思ったけれど、照れくさいのでやめた。

「お父さん」

小さな声で呼びかけると、父が顔をあげた。笑いながら目を細め、ペンを置く。

「超音波診断装置、結局、買ってしまったよ。看板も替えたし。えらい散財だ」

「明日から手伝うよ」

横を向いた父の目が潤んでいるような気がした。頬も震えている。

「俺一人でも十分やっていけるけどな。だいたいお前、注射、打てるのか」

押入れの奥に母の白衣はまだあるだろうか。少しかび臭いかもしれないけれど、それを羽織って明日から患者と向き合おう。

葉月は父に向かって力強くうなずいた。

（了）

解説

関口苑生

本書『感染』は、二〇〇二年に創設された《小学館文庫小説賞》の、栄えある第一回受賞作品である。現在は出版社各社とも、どこでもひとつは応募の文学賞があるが、この賞はエンターテインメントから純文学までジャンルは一切問わず、幅広く新しい才能を発掘しようという意図のもとにスタートした。当初はできるだけ多くの新人を世に送り出すためと、賞の意義を知ってもらうため、第一回から第五回までは一年に二度の選考、つまり半年間の募集期間で始まったが、第六回からは年に一度となる。そんな慌ただしい状況だったにもかかわらず、第一回の応募総数は実に六四五篇。その頂点に輝いたのが本書であった。

テーマは臓器移植。それも、子供の臓器移植と親子の愛情という、まさに現代的で、しかも人間にとっては永遠の課題が全編に横溢《おういつ》する意欲作といっていいだろう。

日本において、臓器移植の問題がクローズアップされたのは、なんといっても一九六八年（昭和四十三）に行われた、日本初の心臓移植だったろう。もちろん、これ以前に日本初の腎臓移植や肝臓移植も行われていたが、札幌医大付属病院・第二外科の和田寿郎教授（当時）による、世界で三十例目の心臓移植手術がもたらした衝撃は計り知れないものがあった。当時の新聞には「日本医学の黎明《れいめい》を告げた一瞬だった」と賞賛の記事が相次ぎ、それこそ日本中が沸き上がったことをよく覚えている。

ところが、この画期的な出来事がその後の移植手術に関して「世界の医療レベルに四十年後れをとった」と言われるようになるのだから世の中わからない。というのは、術後八十三日目に患者のMさんは死亡するのだが、それからひと月後に和田教授が「殺人容疑」で刑事告発されたのである。告発の内容は、まず海水浴中に溺死したといわれる臓器提供者のYさんが、実はまだ生きていたのではないかという疑惑。次に患者のMさんも、通常の心臓手術を受けていれば生き長らえていた可能性があるというものだった。だが札幌地検は、これらの疑惑に対して嫌疑不十分として不起訴処分の結論を出す。

これ以降、日本では脳死判定の基準ならびに、移植手術のルール化を審議していくことになる。しかしその歩みはおよそ遅々たるものであり、厚生省が「脳死に関する研究班」を発足するのが一九八三年。脳死臨調の設置は一九九〇年。臓器移植法案が国会に提出されるのは一九九四年。そして最終的に臓器移植法が成立・施行されるのが一九九七年と、和田事例から三十年もの年月が流れていくのである。

滅多なことは言えないが、この間の臓器移植に関する医療技術がどのような進歩を遂げてきたのか、まあ想像するに難くはない。実際問題として、日本では手術の道が閉ざされていたのである。そのため海外に出向いて手術を受けるよりほかに方法はなかったのだった。やがて一九九九年二月、法律が施行されて初の脳死ドナーからの臓器移植が実施されるが、それで問題はすべて解決したわけでは当然なかった。

たとえばそのひとつとして、本書でも扱われる子供の臓器移植の問題がある。現在の臓器移植法では、脳死で臓器を提供できるのは十五歳以上に限られているのだ。さらには六歳未満の子供は、脳死判定の基準もない状態にある。つまり身体の小さな子供が移植を希望しても、それに見合った大きさの臓器がないため、移植できる可能性がほとんどないのである。この場合も結局は海外渡航の手術しか方法はなく、今もそういったケースが起きるたびに新聞やテレビなどで大きく報道されている。しかも、このときにかかる費用は平均でも八千万円はかかるといわれ、すべての人が容易にできるわけではない。

そこで与党の議員が、臓器提供に関して本人の意思が不明でも、家族が同意すればこれを認めるとする年齢制限の撤廃を訴えた改正案を二〇〇五年の五月に提出。また同時に、死の概念も脳死を「一律に人の死」とするかどうかの案も提示されていく。

要するに、いまだに「ああでもない、こうでもない」の議論が続くばかりで、具体的なことはさして進んでいない状態といえよう。もちろん、人の死にかかわる問題であるから拙速にことを進めていくのは無理がある。そもそも、臓器移植そのものを認めるべきではないという人たちも一方では存在する。

だが、現実に多くの患者たちが今まさに苦しみ、思い悩んでいるのも事実なのだ。

本書は、こうした医学界のみならずさまざまな分野でも議論が百出するテーマに、真っ向から取り組んだ医学サスペンスである。

ヒロインの仲沢葉月は、国立大学の臨床医から東都大学の医学部助手に転じて六年になる、ウィルス感染症を専門とする研究者だ。夫の啓介はアメリカで臓器移植を手がけていたこともある高名な外科医で、知り合った当初は妻と三歳になる男の子がいた。その啓介が妻と離婚し、葉月に結婚を申し込んだのが二年前。それからしばらくは幸福な日々が続いていたが、最近になって様子がおかしくなっていた。笑顔がなくなり、口数も少なく、放心したようにひとりで考え込む時間が多くなったのだ。そんなある夜、一本の電話に呼び出されるようにして啓介が家を飛び出していく。それとほぼ時を同じくして、元妻の公子からも電話が。五歳になる息子の宏がいなくなったというのである。あわてて駆けつけた葉月に、公子は容易ならざる事実を突きつける。実は宏は誘拐され、身代金二千万円を要求されていると打ち明けたのだ。しかし、犯人の要求に従い、身代金を用意して出かけると、そこには壺に入った宏の遺骨と灰が置かれていたのだった。

その後、宏は拡張性心筋症で、移植手術を受けていたことが明らかになる。しかもその際には、啓介と東都大学による何らかの仲介や働きかけがあったらしい。ただひとり、葉月だけが何も知らされていなかったのだ。

葉月は、啓介に事情を聞こうとするが、息子の葬式後、彼は忽然と姿を消してしまう。やがて、警察の捜査が彼の身辺に集中するのだったが……。

冒頭から息をもつかせぬスピーディーな展開で、これがデビュー作とは思えない手練の技量だ。何より感心するのは、繰り返し書いてきたように臓器移植という重いテーマを扱いながら、決して専門的な描写に偏らず、医学の倫理や親子の情愛をしっかりと見据えて問題提起をしていることだ。ことに外科医である啓介が、

「俺のこの手は何のためにある？」

と葉月に詰め寄る場面は圧巻。手術する機会と場さえ提供してもらえれば、うまくやってのける自信が彼にはある。臓器さえ提供してもらえれば、何人の命を救えたことか。それなのに、誰も彼もが心臓や肝臓を灰にしてしまう。患者を見捨てて平然としている。医者として、親として、こんな状況には耐えられないと嘆き、憤慨するのである。

これは著者が医療技術、医療問題を中心に長く取材を続けているジャーナリストだからこそ感じてきた真摯《しんし》な思いなのだろう。

だが、こうした日本の現状を尻目に、世界の医学界はさらなる臓器移植の可能性を目指して、斬新な研究、開発が進められている。たとえば異種移植の道もそうだ。ブタやヒヒなどの臓器を人体に移植する試みである。実際にこれはすでに、アメリカでは特殊な病気に限ってブタの脳細胞移植および膵臓《すいぞう》細胞移植が、FDA（食品医療薬品局）の承認のもとに行われているし、欧米各国ともに異種移植のためのガイドラインが作成されている。しかし、強い拒絶反応を起こすために立ちふさがる問題は多々ある。そこで今度は、ならば拒絶反応を起こさない臓器を作ればいいではないかと、遺伝子を改変したり、クローン化によって人に移植可能なブタを作成したり、あるいはブタの胚《はい》をマウスに移植してそこから臓器に成長させる方法を考えたりと、日々新たな研究がなされているのだ。まさにSFの世界の出来事が、現実にもうすぐ可能となるところまできているのである。

けれども、そうした研究が人の命を弄《もてあそ》ぶような結果にだけはしてはならない。本書は、そんな警鐘を鳴らしているようにも思える。作者の仙川環は、受賞の言葉で、「自分の技術の未熟さに歯がゆい思いをすることも多いのですが、何故、何を書きたいのかははっきりと分かっています。〈卑〉ではない娯楽作品を書くために、愚直に取り組むつもりです」

と決意のほどを記している。受賞後は本業のほうが忙しくなったようだが、もうそろそろ次作を……と望む読者の声も高い。つまりは、彼女の愚直さにみな期待をしているということだろう。もちろん、わたしもそのひとりである。

二〇〇五年　七月

（文芸評論家）

――本書のプロフィール――

本書は、二〇〇二年二月に第一回小学館文庫小説賞を受賞し、二〇〇二年七月に小社より刊行された『感染』に、一部加筆訂正を加え、文庫化したものです。

シンボルマークは、中国古代・殷代の金石文字です。宝物の代わりであった貝を運ぶ職掌を表わしています。当文庫はこれを、右手に「知識」左手に「勇気」を運ぶ者として図案化しました。

――「小学館文庫」の文字づかいについて――

- 文字表記については、できる限り原文を尊重しました。
- 口語文については、現代仮名づかいに改めました。
- 文語文については、旧仮名づかいを用いました。
- 常用漢字表外の漢字・音訓も用い、難解な漢字には振り仮名を付けました。
- 極端な当て字、代名詞、副詞、接続詞などのうち、原文を損なうおそれが少ないものは、仮名に改めました。

感《かん》染《せん》

著者　仙《せん》川《かわ》環《たまき》

二〇〇五年九月一日　初版第一刷発行

編集人――――飯沼年昭
発行人――――佐藤正治
発行所――――株式会社　小学館
〒一〇一－八〇〇一
東京都千代田区一ツ橋二－三－一
電話　編集〇三－三二三〇－五六一七
　　　販売〇三－五二八一－三五五五
振替　〇〇一八〇－一－二〇〇

印刷所――――図書印刷株式会社

造本には十分注意しておりますが、万一、落丁・乱丁などの不良品がありましたら、「制作局」（☎〇一二〇－三三六－三四〇）あてにお送りください。送料小社負担にてお取り替えいたします。（電話受付は土・日・祝日を除く九時三〇分～一七時三〇分までになります。）

ISBN4-09-408046-5

小学館文庫